W9-CZK-267

The Bible and the Human 7 :
The Man of Living Faith
Pauline, Seoul / Korea, 1999

성서와 인간 7

차 례

신앙으로 살아가는 인간

1. 신앙으로 살아가는 인간 · 5

머리말 · 7

팔레스티나의 자연환경 · 16

시편 23의 주석학적 · 인간학적 이해 · 26

맺음말 · 98

2. 인간의 길 · 105

어찌 내 유일한 인생을 · 107

맺음말 · 152

본문과 각주의 시편 구절은 모두 히브리어본을 따랐음을 밝혀둔다.

1

신앙으로 살아가는 인간

머리말

신앙으로 살아가는 인간[1]

우리가 주님을 감동시킬 수 있다면! 주님이 우리를 감동시키는 것은 당연한 일이지만 우리 편에서 주님을 감동시킬 수 있다면! 성서는 어떻게 해야 인간이 주님을 감동시킬 수 있는지 말해준다. "믿음이 없이는 하느님

---

1. 이 글을 쓰는 데 결정적인 도움과 통찰을 주신 분은 로마 그레고리안 대학교 영성신학과 교수인 부르나 코스타쿠르타(Burna Costacurta)이다. 코스타쿠르타 교수는 필자가 로마 성서대학에서 공부할 때 성서를 새로운 관점으로 보도록 개인 지도를 해주신 분이다. 이 글의 앞 부분, '팔레스티나의 자연환경'은 코스타쿠르타 교수의 가르침에 의한 것이다.

을 기쁘게 해드릴 수 없습니다."(히브 11,6) 믿음이 없이는 주님을 기쁘게 해드릴 수 없다. 그렇다! 믿음, 믿음으로 우리는 주님을 감동시키고 기쁘게 해드릴 수 있다.

신약성서를 읽다 보면 주님께서는 우리에게 감동하시면서 크게 칭찬하는데, 그 경우는 모두 주님께 놀라운 신앙을 보여드렸을 때이다. 예를 들면 중풍병자의 친구들이 병든 친구를 주님께 보여드려 낫게 하고 싶었지만 군중 때문에 할 수 없자 지붕을 벗기고 구멍을 내어 병든 친구를 주님이 앉아 계신 곳으로 내려보낸다. 그러자 주님께서는 "그들의 믿음을 보시고"(마르 2,5) 크게 감탄하셨다. 또 시로페니키아 여인이 병든 딸을 살리겠다는 일념에서 주님으로부터 강아지라는 모욕적인 언사를 들으면서도 "주님, 그러나 상 밑에 있는 강아지도 아이들이 먹다 떨어뜨린 부스러기는 얻어먹지 않습니까."라고 응답한다. 이러한 여인의 태도를 보고 주님은 크게 놀라며 감탄하셨다(마르 7,24-30).

또 한번은 로마 군대의 백부장이 중병으로 누워 있는 자기 종을 치유해 달라고 청하면서 주님께서 미천한 자기 집까지 올 필요 없이 "그저 한 말씀만" 하시면 종이 낫게 될 것이라 하였다. 이때도 주님께서는 그의 믿음을 보고 크게 감동하셨다(루가 7,6-9). 이렇게 놀라운 신앙을 보였을 때 나오는 정형적(定形的) 문장은 "주님께서는 그(들)의 믿음을 보시고 크게 감탄하시며"라는 문장이다.

언젠가 곤지암 근처 산을 산책하던 중 우연히 어느 순교자의 묘비명을 읽게 되었다.

병인년 마지막 박해는 1866년 3월 30일에 있었다. 이날은 교회 전례력에 따라 성금요일, 즉 주께서 수난당하신 날이었다. 이날 죽게 된 우리의 순교자들은 주께서 돌아가신 성금요일에 순교하게 된 것을 영광으로 생각하고 모두가 기쁘게 순교했다 한다. 그들은 자기들에게 주어진 뜻밖의 행운에 진심으로 감사하면서 치명하였다 한다.

무엇 때문에 그들은 사형수가 되어 비참한 죽음을 당하면서도 기쁨과 행복으로 가득찼을까? 어떻게 망나니의 칼 앞에서도 기뻐하고 감사하면서 죽을 수 있었을까? 대답은 분명하다. 신앙 때문이다. 예수 그리스도를 향한 신앙 때문이다. 그렇다면 신앙이 없는 사람이 이 글을 읽으면 어떻게 생각할까? 아마도 머리를 설레설레 흔들면서 "미쳤군! 예수쟁이들은 정말 미친 사람들이야!" 할런지도 모른다.

평일 미사에서 만나는 신자들의 대다수는 노인들이다. 고된 인생의 그림자가 서려 있는 마디 굵은 두 손을 모아서 기도드리고 있는 노인들을 바라볼 때면 떠오르는 분이 한 분 있다. 그분은 팔십이 넘으신 분으로 칠십이 넘어 미국으로 이민을 가 운전 면허증을 따 손수 운전하고 다니시며 칠십오 세에 본당 회장까지 역임하신 김갑인 회장님이시다. 회장님은 6대 독자로 그분도 아들을 하나밖에 낳지 못했으니 그분의 아들은 7대 독자가 되는 셈이다. 김갑인 회장님은 1960년대 월남전 파병이 한창이던 때 7대 독자 때문에 브라질로 이민 갔다가 손주들 교육을 위해 다시 미국으로 이민을 가셨는데 지금도 그분은 하느님께서 필요하시면 어디로든지 이민 갈 용의가 있다고 하면서 웃으신다. 그분은 언젠가 "어디에 있든 하느님과 함께 편히만 살면 되지요."라는 말을 하셨는데 이 말은 신앙이 무엇이며 신앙인의 삶이 어떤 것이어야 하는지를 분명히 보여준다. 바오로 사도는 일찍이 다음과 같은 말씀을 남기었다.

> 믿음의 싸움을 잘 싸워서 영원한 생명을 얻으시오. 하느님께서 영원한 생명을 주시려고 그대를 부르셨고 그대는 많은 증인들 앞에서 훌륭하게 믿음을 고백하였습니다.(1디모 6,12)

김갑인 회장님에게 들었던 이야기 중에서 특별히 기억나는 이야기가 있다. 그분은 열

심한 신자 가정의 처녀를 며느리로 맞았다. 그런데 결혼한 지 5년이 지나도록 아기 소식이 없었다. 며느리는 물론이고 가족들도 말은 않지만 모두가 걱정스러워했다. 그러던 중 교황께서 브라질을 방문하게 되었다. 이때 소수 민족들도 미사에 참례할 수 있었는데 영광스럽게도 김 회장님의 아들 부부가 봉헌물을 바치게 되었다. 생각지도 않은 기회가 오자 회장님의 며느리는 예수 그리스도의 대리자인 교황님께 자기의 간절한 소망을 아뢰면 주님께서 들어주시지 않을까 하는 생각이 들었다. 그래서 교황님께 봉헌물을 드리는 순간 아들을 임신하고픈 소원을 말씀드리기로 하였다. 하지만 미사 도중, 그 짧은 시간에 교황님께 말씀드린다는 것이 거의 불가능하다는 것을 알게 되었다. 그래서 마음속으로만 자기 소원을 말씀드리면서 봉헌물을 드리고 제대를 내려왔다. 하느님께서 자기의 애타는 마음을 헤아리시고 간절한 소원을 들어주시리라 믿으면서. 회장님 며느리는 제대를 내려오면서 내내 눈물을 흘렸고, 미사에 참석했던 모든 교우들이 그 모습을 보았다. 그날 이후 회장님의 며느리는 임신하게 되었고 자식을 낳게 되었다. 아들이었다.

이 이야기를 읽으면서 어떤 생각이 드는가? 꾸며낸 이야기가 아니라면 우연의 일치로 치부해 버릴까? 그의 임신은 우연이었고 그래서 아들을 낳은 것일까? 아니면 요즈음 흔히 얘기하듯이 가슴 벅찬 감동을 받아 몸에 좋은 호르몬이 분비되었고 그로 인해 아들을 낳은 것일까? 믿음이 없는 이들은 어떤 이야기를 들려주든 회의적으로 또는 비판적으로 받아들인다. 김 회장님의 며느리가 보여준 믿음은 합리적 논증이나 분석으로 설명되는 것이 아니다. 성서는 말한다. "믿음은 우리가 바라는 것들을 보증해 주고 볼 수 없는 것들을 확증해 줍니다."(히브 11,1) 그 며느리는 믿었기에 하느님께 바랐고, 그 바람은 실현된 것이다.

성서의 가장 중요한 주제는 신앙과 그 신

앙을 갖고 굳세게 살아가는 신앙인의 모습이다. 많은 성서 구절들이 이 주제를 보여주지만 특별히 시편 23만큼 이 주제를 잘 보여주는 글도 없을 것이다. 시편 23은 신자가 아닌 사람들까지도 어느 정도 그 내용을 알고 있을 만큼 유명한 시이고, 신자들에게 가장 사랑받는 시이다. 어떤 이들은 시편 23을 가리켜 '시편의 나이팅게일' 또는 '시편의 진주'라고 하기도 한다. 그만큼 아름답고 신앙적인 시이다.

야훼는 나의 목자
아쉬울 것 없노라.
푸른 풀밭에 누워 놀게 하시고
물가로 이끌어 쉬게 하시니
지쳤던 이 몸에 생기가 넘친다.
그 이름 목자이시니
인도하시는 길 언제나 바른 길이요
나 비록 어두운 골짜기를 지날지라도
내 곁에 주님 계시오니 무서울 것 없어라.

막대기와 지팡이로 인도하시니
걱정할 것 없어라. (시편 23,1－4)[2]

2. 많은 학자들은 시편 23이 두 개의 이미지로 구성되어 있다고 본다. 1－4절까지는 목자의 이미지이고, 5－6절은 손님 대접의 이미지이다. 이 책에서는 1－4절의 목자 이미지만을 다룰 것이다. 불가타본은 시편 22이다. 이 시편의 3－4절은 필자의 자역임을 밝힌다.

팔레스티나의 자연환경

시편 23은 "야훼는 나의 목자, 아쉬울 것 없노라."로 시작하여 "푸른 풀밭"과 "물가"가 언급된다. 이 시편을 천천히 읊노라면 하얀 뭉게구름이 떠 있는 하늘 아래 푸르른 초원이 펼쳐져 있고, 그 옆으로는 맑은 시냇물이 흘러가고 양떼들이 평화로이 풀을 뜯는 장면을 연상하게 된다.

이런 꿈 같은 모습은 현실 세상에서 쉽게 경험할 수 있는 것이 아니다. 그래서 그런지 우리는 시편 23을 주로 장례식 때 부른다. "야훼는 나의 목자, 아쉬울 것 없노라…." 왜 이 시편을 장례미사 때 부르는 것일까? 우리의 삶은 늘 불안하고 위협받기에 이 세상에서 시편 23을 노래하는 것은 적당하지 않지만 저 세상에서는 적당하기 때문이다. 돌아가신 영혼은 더이상 눈물도 없고 한도 없고 고통도 없는 낙원으로 갔기에 실감나게 불러줄 수 있는 것이다. 돌아가신 영혼은 이제 하늘 나라에서 아빠 아버지 품에 안겨 편히 쉬고 있기에, "야훼는 나의 목자 아쉬울 것 없노라. 푸른 풀밭에 누워 놀게 하시고." 라고 노래할 수 있는 것이다.

하지만 이 시를 쓴 이스라엘 사람들은 미래적 인생관이 아니라 현실적 인생관을 갖고 살아가던 이들이다. 그들의 꿈은 건강하게 오래오래 살다가 많은 자녀들이 보는 앞에서 그들을 축복해 주고 편안히 죽는 것이다. 그러니 이 시를 쓴 저자는 하늘 나라를 생각하면서 쓴 것도, 장례식에서 노래하라고 쓴 것도 아니라는 것이다.

나아가 이 시가 쓰여진 팔레스티나 지방의 환경을 생각한다면 시편 23은 장례식장이 아니라 삶의 현장에서 암송되고 노래 불러져야 할 시이다. 왜냐하면 이 시는 생의 위협과 위험이라는 삶의 조건을 전제하고 쓰여진 어떤 것보다 현실적인 시이기 때문이다. 생의 위협은 그들이 살아가던 광야와 유목민이라는 삶의 조건에서 확연히 드러난다.

팔레스티나 지방은 대부분이 광야이다. 따라서 목동들이 양떼를 치는 곳도 푸른 풀밭이 아니라 광야이다. 모세가 양을 치다가 불타는 가시덤불에서 하느님을 만난 곳도 광야요(출애 3,1-2), 다윗이 양을 쳤던 곳도 광야이다(1사무 16,11 참조). 성지를 순례하다 보면 이러한 사실을 쉽게 목격할 수 있다. 예루살렘에서 갈릴래아 지방까지 차를 타고 가다 보면 물도 없고 풀도 보이지 않는 광야에서 양떼를 몰고 가는 것을 흔히 볼 수 있다.

이스라엘 목자들이 광야에서 살아가지만 그렇다고 해서 광야가 그들에게 삶의 기본요소를 제공하는 것은 아니다. 오히려 광야는 안정된 삶보다는 불안정과 변화가 계속되는 자리이다. 광야에서는 비가 쏟아지면 갑자기 길이 사라지고 급류가 쏟아지는 계곡으로 변해버린다. 또 사막에서는 바람이 불면 있던 구릉이 없어지고 없던 구릉이 생긴다. 팔레스티나의 지도를 보면 강을 표시하는 선이 점선으로 되어 있는데, 그것은 비가 오지 않을 때는 평지처럼 보이지만 비가 오면 물살이 센 계곡으로 변해버리는 와디(wadi)를 가리킨다. 이스라엘을 순례할 때 광야에 가는 사람은 이 와디를 조심해야 한다. 비가 내리기 시작하면 즉시 그곳을 떠나야 한다. 필자가 공부했던 로마 성서대학원의 교수 한 분은 광야에서 고고학 탐사 도중 갑자기 내린 비로 인해서 지프와 함께 와디에 휩쓸려 돌아가셨다.

이스라엘인들이 양을 치는 곳은 바로 이러한 광야이다. 그렇다면 어떻게 그런 곳에서 양떼를 칠 수 있을까? 양들은 날씨가 아주 덥지 않은 한 물을 마시지 않고도 견딜 수 있는 동물이다. 양들은 이슬만 먹어도 서너

달을 견딜 수 있다고 한다.[3] 그러니 광야에서 양을 치는 것이 불가능한 것만은 아니다.

팔레스티나 광야는 바위가 많고 덤불이 많은 땅이다. 그런데 이 광야에 비가 내리면 순식간에 시냇물, 즉 와디(wadi)가 흐르고 풀들이 자란다. "소나기가 되어 풀밭을 적시고"(신명 32,2)란 표현은 이런 배경에서 나온 것이다. 비가 내리는 겨울이면 푸른 풀들이 돋아나고, 또 비가 내리는 봄이면 풀 외에도 노란 들꽃들이 무수히 피어난다. 비오기 전 광야를 이글거리는 태양과 가시덤불로 표현할 수 있다면 비온 뒤의 광야는 푸른 풀과 노란 들꽃 그리고 흘러가는 시냇물로 표현할 수 있다. 정말이지 비온 뒤의 광야의 모습은 눈부실 정도로 찬란하다. 그렇기에 광야에서

3. 양들이 태양이 뜨기 전에 일어나 활동을 개시하는 것은 이슬을 먹어 수분을 충당하기 위해서이다. Phillip W. Keller, *A Shepherd Looks at Psalm 23* (Grand Rapids, MI : Zondervan Publishing House, 1970), 51-52 참조.

도 양들이 살아갈 수 있는 것이다.

그러나 비가 그치고 태양이 뜨면 와디는 즉시 마르고 풀과 꽃들은 시들어 버린다. 그래서 성서에서는 자주 "우리네 생은 순식간에 사라져 버리는 풀꽃 같은 인생"이라고 표현하는 것이다(시편 90,5-6 ; 102,4 ; 103,15-16 참조). 이 풀꽃들은 우리가 흔히 볼 수 있는 일 년생이나 한 계절 피는 그러한 풀꽃이 아니라 비가 그치고 태양이 작열하기 시작하면 즉시 시들어 버리는 꽃들이다. 우리의 인생이 찰나적(刹那的)이라는 것을 기억하게 하는 것이다. 또 성서에서 "주께서는 물이 마르다가도 흐르고, 흐르다가도 마르는 도무지 믿을 수 없는 도랑같이 되셨습니다."(예레 15,18)라는 구절이나, "주께서 강물들을 사막으로 바꾸시고, 샘구멍을 막아 마른 땅이 되게 하신다."(시편 107,33)는 구절은 팔레스티나의 자연 환경을 그대로 반영시킨 표현이다.

비가 그치고 태양이 빛나면 다시금 생의

조건이 말살되어 버리는 자연환경 안에서 이스라엘인은 하느님께 대한 온전한 신뢰를 온몸으로 체득하게 된다. 생의 조건이 적당히 결여되고 생의 위협도 적당히 느낀다면 인간은 알아서 그에 대한 강구책을 생각해 낼 것이다. 하지만 생의 조건이 철저히 결여되고 위협이 엄청나면, 그래서 인간적인 어떤 노력도 소용없다는 것을 알게 되면 절대자에게 의존할 수밖에 없다. 이것은 얼마 전 물난리를 겪으면서 우리가 수도 없이 드렸던 기도를 생각하면 쉽게 이해할 수 있을 것이다. 하늘이 뚫리기라도 한 양 엄청난 양의 폭우가 한순간에 쏟아져 내렸을 때 우리가 할 수 있었던 것은 눈을 들어 하느님께 기도드리는 것뿐이었다. 기우제(祈雨祭)를 생각하는 것도 좋을 것이다. 지난날 우리는, 도랑을 만들고 우물을 파는 등 물을 대기 위한 모든 인간적인 노력을 다해도 가뭄이 깊어가고 논밭들이 쩍쩍 갈라지게 되면 우물을 파기 위해서 애쓰던 삽과 괭이를 버려두고 하늘을 향해 울부짖지 않았던가.

마찬가지로 생의 조건이 철저히 결여된 광야에서 양을 쳐야 했던 이스라엘 백성은 하느님께 완전히 의지하지 않을 수 없었다. 대지가 이글이글 타고 샘이란 샘은 모두 말라버려 마실 물도 먹을 음식도 없는 광야에서 인간이 할 수 있는 일은 아무것도 없다는 것을 그들은 잘 알았다. 그들은 하느님께서 마음만 먹으면 즉시 천지가 바뀔 수 있다는 사실을 믿었다. 그들이 볼 때 광야에 비가 내리고 풀꽃이 피어나는 것은 순전히 하느님께서 그렇게 해주시기 때문이다.

창조주 하느님께 대한 철저한 신뢰, 무조건적인 신뢰는 유한한 피조물이 깨쳐야 할 진리이다. 생의 위협 안에서 자신의 무능함을 절실히 깨달은 사람들만이 "야훼는 나의 목자 아쉬울 것 없노라."는 기도를 진심으로 바칠 수 있다. 빈손으로 살아가는 자들만이 하느님을 무조건 신뢰하며 이 시편으로 기도할 수 있는 것이다.

이스라엘인들은 광야에서 자기들을 돌보아 주시는 하느님을 매일같이 체험하면서 살아가는데, 이러한 체험은 그들의 조상들이 시나이 광야에서 겪었던 역사적 체험과도 동일하다. 이집트를 탈출한 이스라엘의 조상이 "불뱀과 전갈이 우글거리고 물이 없어 타던" (신명 8,15) 시나이 광야를 40년간 헤매었을 때 누가 그들에게 마실 물을 주었고 먹을 음식을 주었던가? 마사다 광야에서 기갈을 견디지 못하여 울부짖었을 때 바위에서 물이 솟아나도록 하신 분이 누구인가? 또 그들이 굶주리지 않도록 날마다 만나를 내려주신 분이 누구인가? 거기다 만나만 먹으면 영양실조에 걸릴까 봐 메추라기를 보내주신 분이 누구인가? 시나이 광야에서 이스라엘의 조상들이 체험한 것은 매일같이 자기들을 돌보아 주시는 하느님에 대한 체험이었다. 그리고 이러한 체험은 그들 안에 하느님에 대한 온전한 신뢰가 생겨나게 했고, 하느님께 절대적으로 의존하게 하였다.

우리의 삶도 팔레스티나의 열악한 조건과 별로 다를 바 없다. 인간의 삶이 얼마나 쉽게 부서지는가. 일상 삶이 우리에게 가르쳐 주는 것은 어둠, 피곤함 그리고 불확실성이다. 우리도 이스라엘인들처럼 하느님에게 의존하는 법을 배워야 한다. 우리의 절망이 깊으면 깊을수록, 우리 생의 어두움이 짙으면 짙을수록 우리가 의지할 분은 하느님임을 배워야 한다. 짧고 귀한 삶을 눈물과 한숨, 두려움과 불안함으로 지내기보다는 우리 존재의 뿌리이며 생의 원천이신 하느님께 매달려야 한다. 하느님께 절대적인 의존을 할 때 우리는 평화롭게 살아갈 수 있다.

시편 23의 주석학적 · 인간학적 이해

야훼는 나의 목자

시편 23은 야훼 하느님을 목자(牧者)로, 인간을 그분의 양떼로 묘사한다. 성서는 하느님과 인간의 친밀한 관계를 드러내기 위하여 여러 가지 이미지를 사용하는데 그 중 가장 대표적인 이미지가 목자와 양이다. 족장 야곱이 처음으로 하느님을 "나의 목자"(창세 48,15)로 부른 이래 여러 예언자들과 시편 저자들은 하느님을 목자로, 인간을 양으로 불러왔다.[4] 하느님을 목자로 부르는 것은 하느님의 권위와 자비로운 통치를 나타낸다. 이 점을 에제키엘 예언자가 잘 보여준다.

주 야훼가 말한다. 보아라. 나의 양떼는 내가 찾아보고 내가 돌보리라. 양떼가 마구 흩어지는 날 목자가 제 양떼를 돌보듯이, 나는 내 양떼를 돌보리라. 먹구름이 덮여 어두울지라도 사방 흩어진 곳에서 찾아오리라.

…내가 몸소 내 양떼를 기를 것이요, 내가 몸소 내 양떼를 쉬게 하리라. 주 야훼가 하는 말이다. 헤매는 것은 찾아내고 길 잃은 것은 도로 데려오리라. 상처입은 것은 싸매주고 아픈 것은 힘 나도록 잘 먹여주고 기름지고 튼튼한 것은 지켜주겠다.

---

4. 몇 가지 예문을 들어본다. "우리는 당신의 백성, 당신 목장의 양떼, 세세대대 영원토록 찬양 노래 부르오리다."(시편 79,13) ; "이스라엘의 목자여, 요셉 가문을 양떼처럼 인도하시는 이여 귀를 기울이소서."(시편 80,1) "그가 우리를 내셨으니, 우리는 그의 것, 그의 백성, 그가 기르시는 양떼들이다."(시편 100,3) 이 밖의 예문들은 다음 성서 구절을 찾아보기 바란다. 창세 49,24 ; 호세 4,16 ; 예레 31,10 ; 이사 40,11 ; 에제 34,11 −16 ; 시편 28,9 ; 77,20 ; 78,52.

이렇게 나는 목자의 구실을 다하리라.(에제 34,11-16)

신약에서도 마찬가지다. 예수님께서도 목자로 불리고, 우리는 예수님의 양떼로 불린다.[5] 나아가 예수님은 당신 스스로를 착한 목자라 칭하신다.

예수께서는 당신 스스로를 목자라고, 그것도 착한 목자[6]라고 말씀하신다.

---

5. 몇 가지 예문을 든다. "목자 없는 양과 같이 시달리며 허덕이는 군중을 보시고 불쌍한 마음이 들어 제자들에게 이렇게 말씀하셨다."(마태 9,36-37) ; "내 어린 양떼들아, 조금도 무서워하지 말라. 너희 아버지께서는 하늘 나라를 너희에게 기꺼이 주시기로 하셨다."(루가 12,32) ; "내가 칼을 들어 목자를 치리니 양떼가 흩어지리라."(마태 26,31) ; "영원한 계약의 피를 흘려 양들의 위대한 목자가 되신 우리 주 예수를 죽은 자들 가운데서 다시 살리신 분은 평화의 하느님이십니다."(히브 13,20) ; "여러분이 전에는 길 잃은 양처럼 헤매었지만 이제는 여러분의 목자이시며 보호자이신 그분에게로 돌아왔습니다."(1베드 2,25)
6. 때로 학자들은 '착한'이란 말 대신에 '아름다운'이

나는 착한 목자이다. 착한 목자는 자기 양을 위하여 목숨을 바친다. …나는 착한 목자이다. 나는 내 양들을 알고 내 양들도 나를 안다. 이것은 마치 아버지께서 나를 아시고 내가 아버지를 아는 것과 같다. 나는 내 양들을 위하여 목숨을 바친다.(요한

란 말을 선호하기도 한다(예 : William Temple). 그런데 그리스어 καλός는 '착한' 또는 '아름다운'이란 두 가지 의미가 있다. 여기서는 전통적인 해석을 따라서 '착한 목자'라고 번역한다. 하지만 이러한 번역이 윤리적 도덕적 의미에서 이해되어서는 안 될 것이다. 주님께서는 물론 도덕적으로 흠없는 분이시지만, 그분이 착한 목자인 것은 도덕적 이유에서가 아니라 양들을 위해서 목숨을 바치신 희생적 사랑 때문이다. "착한 목자는 자기 양을 위하여 목숨을 바친다."(요한 10,11)라는 말씀은 양들의 구원에 목자의 죽음이 포함되어 있음을 알려준다. 그것은 양들의 구원이 착한 목자의 죽음을 통해서 주어져야 한다는 것을 강조하는 것이다. 일반적으로 목자들은 양들을 위해서 수고는 하지만 양들을 위해 죽기까지 하는 것은 아니다. 그들은 양들에게 먹이를 주고, 들짐승에게서 양들을 보호해 주지만 이러한 그들의 소임이 주님께서 당신 양들을 위해 죽는 것과 비교될 수는 없다. 이런 점에서 예수는 유일한 착한 목자이지 여러 명의 착한 목자 중의 하나가 아닌 것이다.

10, 11－15)

목자와 양떼의 관계는 우리의 역사에서도 볼 수 있다. 우리 조상들은 백성을 다스리는 지도자를 목민관(牧民官)이라 불렀고, 백성을 다스리는 법을 목민법(牧民法)이라고 했다. 정약용 선생이 쓰신 목민심서(牧民心書)는 일종의 정치학 원론이다.

이렇게 구약과 신약은 물론 우리 문화에서까지도 백성과 그 백성을 이끌어 가는 지도자의 관계가 목자와 양으로 제시된 것은 무슨 연유일까? 이 물음에 대답하기 위해서는 목자와 양, 목자의 임무와 양의 속성을 알 필요가 있다. 시편 23을 쓴 이는 다윗으로 알려져 있다. 그는 목자의 아들로 태어나서 젊은 시절 양을 키우며 살았던 사람이다. 그 누구보다도 목자와 양의 사이를 잘 알고 있던 다윗은 "야훼는 나의 목자 아쉬울 것 없노라." 라고 노래하면서 자신이 목자로서 양들을 돌보았을 때의 체험을 상기했을 것이다.

다윗이 하느님을 목자로, 인간을 양으로 표현한 것은 목자와 양은 깊은 인식과 철저한 신뢰를 바탕으로 이루어진 관계라고 보았기 때문일 것이다. 먼저 목자와 양의 관계는 상호간의 깊은 인식에서 이루어진다. 목자는 양들 하나하나를 알고 있고 그 각각의 특성까지도 알고 있다. 우리같이 양에 대해서는 아는 것이 없는 사람들이 보기에는 다 그놈이 그놈처럼 보이지만 목자의 눈에는 한 마리 한 마리가 다 구별되어 보인다. 목자는 어느 양이 아파서 비실대는지, 어느 양이 거센지, 어느 양이 항시 딴 길로 빠져 나가 애를 먹이는지 그 습성을 다 파악하고 있다. 예수께서 이 점에 대해서도 분명히 말씀하신다. "나는 내 양들을 알고 내 양들도 나를 안다."(요한 10,14) 여기서 '안다.'란 히브리어 동사 야다(yada)는 우리가 통상 이해하고 있는 '안다.'와 다르다. 여기에서 '안다.'는 것은 '더불어 정을 통해 안다.'라는 뜻이다. 정신적인 일치와 더불어 성적인 일치를 의미할 때 야다라는 말을 쓴다. 이 단어는 다음 말의 '안다.'의 뜻과 흡사하다고 보면 된다. "어려서부터 이성을 너무 빨리 알면 안 되지." 또는 "어려서부터 너무 빨리 세상을 알면 안 되지."의 '안다.'이다. 그러니 예수께서 "나는 내 양들을 알고 내 양들도 나를 안다."라고 했을 때 안다는 것은 당신이 우리를 막연히 아는 것이 아니라 우리 한 사람 한 사람의 특성들, 긍정적·부정적인 모든 것을 다 알고 계시다는 의미이다. 예수님께서 우리의 부정적인 모습까지 알고 있다는 것은 벌을 주기 위해서가 아니라 돌보아 주기 위해서이다. 하느님께서 헤매고 길 잃은 양을 찾아오고, 상처입은 양을 싸매주고, 아픈 양은 잘 보살펴 준다고 했듯이(에제 34, 11-16) 착한 목자이신 예수께서도 우리를 사랑하는 마음으로 돌보아 주시며 선을 이루신다.

"나는 내 양들을 알고 있다."(요한 10,14)고 확언하신 예수께서는 우리 개개인을 알고 계시다. 미국 성령기도회 모임에서 있었던 일이라고 한다. 계시의 은사를 받은 한 연사가 주님께 메시지를 받고 참석자들을 향해 말하였다. "로리, 주님은 그대의 기도를 들으셨고 응답하실 것입니다." 이 말씀을 들은 한 젊은 여인은 그 순간 하느님께서 자신을 어루만져 주시는 것을 느꼈다. 로리는 그녀의 어릴 적 이름이었다. 아주 옛날 그녀가 어린아이였을 때 들어보고는 처음 들어보는 이름이었다. 로리와 그녀의 남편은 얼마 전부터 아기를 입양하고 싶어 하느님께 열심히 기도하고 있었다. 그날 성령기도회에서 주님의 어루만지심을 체험한 로리가 집으로 돌아오니 전화 메시지가 와 있었다. 입양기관에서 남긴 것으로서 아기를 위한 수속이 시작되었다는 기쁜 소식이었다.[7] 이렇게 성령께서는 우리의 이름, 어린 시절의 이름까지도 알고 계시다.

---

7. 패티 캘라거 맨스필드, 「하느님을 더 많이 : 일상생활 속의 성령 쇄신」(서울 : 가톨릭출판사, 1997), 83.

목자와 양, 상호간의 깊은 인식은 양떼들 편에서도 이루어진다. 양들도 목자를 잘 알고 있기에 목자가 아닌 도둑이나 삯꾼을 따라 나서지 않는다. 예수께서 이 점에 대해서도 분명히 말씀하신다. "양들은 목자의 음성을 알아듣는다."(요한 10,16) 얼마나 양들이 목자의 음성을 잘 알아듣는지를 보여주는 흥미로운 예화가 있다. 성서 공부를 위해 팔레스티나에서 머물고 있던 한 신부가 양치기들의 삶과 양떼들의 생태를 알기 위해 한동안 그들과 함께 살았다. 어느날 갑작스런 기상변화로 심한 폭풍우가 몰아쳐서 양들을 동굴로 피신시켜야 했다. 그런데 그 부근에는 동굴이 하나밖에 없어서 두 무리의 양떼가 한 동굴 안에 피신하게 되었다. 비가 그치기를 기다리며 동굴 안에 있던 그 신부는 한 가지 의문이 생겼다. 비가 그치고 떠날 때 어떻게 이 많은 양떼들이 서로 섞이지 않고 자기들 목자를 따라갈까 하는 것이었다. 양들 엉덩이에 소유주를 표시하는 도장이 찍혀 있는 것도, 목걸이가 있는 것도 아니기 때문이었다. 그런데 이 신부의 의문은 너무나도 간단하게 풀려버렸다. 폭풍우가 그치자 양치기 한 사람이 먼저 일어나 나가면서 노래를 불렀다. 그러자 한 무리의 양떼들만 일어나서 그 목자를 따라가고, 다른 양떼들은 그대로 동굴에 남아 있는 것이었다. 이어 두 번째 양치기가 노래를 부르면서 나가니 나머지 양떼들이 일어나 그 목자를 따르는 것이었다. 그 모습을 감탄하며 바라보던 신부는 양치기에게 그 노래를 가르쳐 달라고 했다. 자기도 그들처럼 해보고 싶었기 때문이었다. 노래를 다 배운 그 신부는 양치기더러 숨어 있으라고 한 다음 그 노래를 부르면서 앞장서서 걸어가기 시작했다. 어느 정도 간 뒤 양떼들이 따라오는지 보려고 뒤를 돌아보니 놀랍게도 한 마리 양도 따라오지 않는 것이었다. 양들이 목자의 음성을 듣고 따라오는 것이지 멜로디를 알아듣고 따라오는 것이 아니기 때문이었다.

목자와 양의 유비(類比) 안에서 목자는 주님을 가리키고 양은 우리를 가리킨다. 양들이 목자의 음성을 알아듣듯이 우리도 주님의 음성을 알아들어야 한다. 그런데 실제로 우리는 주님의 음성을 듣고 그분을 따라 살아가는 것 같지는 않다. 주님의 음성이 아닌 다른 음성을 듣고 따라 살아가는 경우가 더 많다. 그렇다면 주님께서 하신 "내 양들은 목자의 음성을 알아듣는다."는 말씀은 단지 주님의 바람에 불과한 것인가? 아니다. 이 점도 양들의 속성을 통해서 쉽게 설명할 수 있다. 켈러(Phillip W. Keller)에 의하면[8] 양보다 더 우둔하고 완고한 짐승은 없다고 한다. 좀 과장해서 얘기하자면 양들은 바른 길만 빼고는 어떤 길이든지 가는 완고한 짐승이고, 길을 잃어버릴 줄은 알아도 집을 찾아서

---

8. 켈러는 동아프리카의 목자의 아들로 태어나 유년시절을 보내고, 8년간 양을 치다가 훗날 사목자가 된 사람으로 양의 생태에 대해서 누구보다도 잘 알고 있다.

돌아올 줄은 모르는 우매한 짐승이다. 이 완고함과 우둔함은 사실 우리 인간에게서 흔히 발견되는 모습이다. 다음 이야기는 양들이 목자의 음성을 알아듣기는 하지만 경우에 따라서는 전혀 목자의 음성을 따르지 않는 완고하고 우매한 동물임을 보여준다.

어느날 번개와 벼락이 쳐 깻묵을 보관하고 있던 헛간에 불이 붙었다. 양떼들이 깻묵 타는 고소한 냄새를 맡고 달려와 빨갛게 불타고 있는 깻묵더미 앞으로 자꾸만 가려고 하였다. 이를 본 목자는 급히 달려가 양떼들을 불구덩이에서 떼어놓기 위하여 작대기를 휘둘러 댔다. 한 무리를 떼어놓으면 다른 무리가 불을 향해서 달려들고. 이러는 가운데 다행히 불길이 잡혀 양떼들은 살긴 살았지만 뜨거운 불기운 때문에 얼마나 기진했던지 몇 주일을 빌빌대었다. 그런데 그 목자 말로는 똑같은 일이 다시 일어난다 해도 양들은 똑같은 짓을

다시 할 것이란 것이다.[9]

도대체 무엇이 문제이길래 양들은 불에 타 죽는 것도 모르고 불길을 향해 돌진하는가? 도대체 무엇 때문에 목자의 음성을 그토록 잘 알아듣는 양들이 목자가 작대기를 휘두르는데도 개의치 않는가? 깻묵 때문이다. 완고하고 우매한 양들은 고소한 깻묵 냄새만 맡을 줄 알았지 자기들을 태워버릴 뜨거운 불길은 눈에 들어오지 않는다. 양이 우리 인간을 유비하는 존재라면 깻묵은 우리가 집착하는 현세적 욕심을 유비한다. 그러니 우리가 착한 목자이신 주님의 음성을 알아듣지 못하는 것은, 아니 알아듣기를 거부하는 것은 현세적 욕심 때문이다.

지금까지 목자와 양의 친밀한 관계는 상호

---

9. 이 예문은 존 다우드의 책 「밝아오는 새벽을 누가 막을 수 있겠는가」(서울 : 바오로딸, 1994), 95에 나오는 글을 각색한 것임.

간의 깊은 인식에 기초한다고 하였다. 이제부터는 양의 목숨이 목자에게 철저히 의존되어 있다는 점에서 둘 사이의 친밀성을 설명하겠다. 양의 목숨은 온전히 목자에게 의존되어 있기에 양은 목자에게 신뢰를 두지 않을 수가 없다. 이 세상에서 양만큼 목자의 돌봄을 필요로 하는 동물은 없다. 그 이유는 양들이 너무나 약하고, 겁이 많고, 까다롭기 때문이다. 양들은 계속되는 관심과 세심한 돌봄이 있어야 살아갈 수 있는 동물이다.[10]

양은 뒤로 벌렁 넘어지면 혼자서는 일어날 수가 없다고 한다. 뒤로 넘어진 양이 일어나려고 발버둥치면 칠수록 힘이 빠져서 일어날 수 없게 된다. 만약 태양이 뜨거울 때 양이 뒤로 넘어졌는데 목자가 알고 얼른 일으켜 주지 않는다면 그 양은 죽게 된다. 특히 새끼를 밴 양은 무게를 견디지 못해 자주 뒤로 넘어지는데 이때 양을 일으켜 주지 않으면

10. Keller, 앞의 책, 20-21.

어미양은 물론 뱃속에 있는 양까지도 죽게 된다.[11]

초목지가 아닌 광야에서 살아가는 양은 목자에게 더 철저히 의존되어 있다. 물과 풀이 귀한 광야에서 양들은 어디에 물이 있고 어디에 풀이 있는지 알 수가 없다. 어디 그뿐인가? 들짐승이 언제 어디서 달려들어 잡아먹을지 모른다. 그런데 뒤로 넘어져 허우적거리고 있는 양을 그대로 내버려 둔다면 그 양은 십중팔구 들짐승의 먹이감이 된다.

팔레스티나 광야의 자연은 양의 목숨을 더 철저히 목자에게 의존토록 만든다. 팔레스티나 광야에는 여기저기 절벽으로 떨어지는 동굴들이 많은데, 만일 그러한 곳에 양이든 사람이든 빠지면 남의 도움이 없이는 빠져 나올 수 없다. 룹닉(Marco Rupnik)이란 유고슬

---

11. 켈러의 체험에 따르면 새끼를 밴 양은 거의 2,3일마다 뒤로 넘어져서 일으켜 줄 필요가 있다고 한다. Keller, 앞의 책, 61.

라비아 신부는 로마에서 필자와 함께 신학을 공부했고, 외국어 때문에 어려움을 겪던 필자에게 많은 도움을 주었던 사랑 깊은 예수회원이다. 그는 서품받고 얼마 안 되어 팔레스티나에서 젊은이들과 광야체험을 하러 갔다가 실종되었다. 한 달 넘게 찾아다녔지만 결국 찾지 못하였다. 아마도 어느 절벽에서 실족되어 죽었을 것이다.

사해 근처 쿰란에서 많은 성서 두루마리들이 발견되었는데, 그것을 발견하게 된 경위는 다음과 같다. 어느날 목자가 양을 잃어버려 혹시 양들이 동굴에 들어간 것은 아닐까 싶어 동굴마다 돌멩이를 던져보았다. 행여 동굴 안에 있던 양이 돌멩이에 맞게 되면 울음소리를 낼지도 모른다는 생각으로. 그렇게 돌을 던지는데 한 동굴에서 '쨍그렁' 하며 항아리에 돌멩이 부딪치는 소리가 나서 들어가 보니 거기에 엄청난 고사본들이 들어 있었던 것이다.

한마디로 광야에서 양들의 생명을 보장하

는 것은 오로지 목자에게 달려 있다. 만일 양 한 마리가 길을 잃었는데 찾지 않고 내버려 둔다면 그 양은 죽을 수밖에 없다. 그래서 예수께서는 아흔아홉 마리 양떼를 들판에 놓아두고서라도 잃어버린 양 한 마리를 찾아 나서는 것이다. 만약 그렇지 않으면 그 양은 죽기 때문이다. 잉글리시(John English)는 그의 저서 「영적 자유」에서 잃어버린 양을 찾아 나서는 착한 목자 예수님과, 관대하지 못한 우리 인간을 대비시키면서 주님의 자애로운 마음을 표현한다.

만약 우리가 백 마리의 양을 치는 양치기로서 고된 하루 일과를 마치고 돌아오는데 공교롭게도 한 마리가 보이지 않는다고 하자. 할 수 없이 양을 찾아 나서고 우여곡절 끝에 그 양이 가시덤불에 걸려서 꼼짝달싹못하고 있는 것을 찾았다고 하자. 그래서 그 양을 빼내 돌아온다면 아마도 우리는 집에 도착할 때까지 화풀이로 그놈

을 발길로 걷어차며 올 것이다. 하지만 착한 목자는 양을 어깨에 메고 온다.[12]

우리는 시편 23을 공부하면서 유비 안으로 들어갔다가 나오고 다시 들어갔다가 나오는 작업을 계속하고 있다. 이제 유비 밖으로 나와서 이 시편의 가르침을 생각해 보자. 양이 목자를 떠나서는 살 수 없듯이 우리의 험한 인생길에서도 양인 우리는 목자이신 예수를 의지하지 않고서는 살아갈 수가 없다.

이렇게 양의 목숨이 철저히 목자에게 의존되어 있기에 목자는 양을 자기 목숨처럼 귀하게 여기며 돌보지 않을 수 없다. 하느님과 인간 사이를 목자와 양으로 표현하는 또 하나의 이유는 양들을 위한 목자의 헌신 때문이다.

---

12. 존 잉글리시, 「영적 자유」(서울 : 가톨릭출판사, 1996), 105.

목자가 양을 얼마나 성심껏 돌보는지는 양을 대하는 그들의 태도에서 잘 알 수 있다. 어둡고 추운 밤, 황량한 광야에서 들짐승들이 울부짖으면 겁 많은 양들은 무서워 잠을 이루지 못한다. 그러면 목자는 자지 않고 한 마리 한 마리 양들을 점검하고 살핀다.[13] 나아가 일기 변화가 심한 광야에서는 태풍과 회오리바람이 불어오기 일쑤인데 그러면 양들은 우왕좌왕하면서 어쩔 줄을 모른다. 그러면 목자는 양들을 한 마리 한 마리 안아 동굴 속에 안전하게 피신시킨다. 번개가 치고 태풍이 몰아쳐도 자기 생각은 하지 않고 양들을 돌보는 목자의 모습은 가히 살신성인(殺身成人)의 모습이다. 태풍이 휘몰아치는데

13. 앞서 언급했듯이 양을 치다 사목자가 된 켈러는 어느날 아침 양을 치는데 살쾡이 한 마리 때문에 수십 마리의 양들이 죽어 있는 것을 보았다고 한다. 그날 이후로 그는 아침에 눈을 뜨면 양들이 밤새 무사한지 점검하게 되었고, 밤새도록 총을 들고 양들을 지켰다고 한다. Keller, 앞의 책, 32 참조.

이리저리 흩어진 양들을 한 마리 한 마리 데려오려면 희생과 죽음을 각오하지 않으면 안 된다.

요한복음 10장에서 예수께서는 "나는 착한 목자이다. 착한 목자는 자기 양을 위하여 목숨을 바친다. 목자가 아닌 삯꾼은 양들이 자기 것이 아니기 때문에 이리가 가까이 오는 것을 보면 양떼를 버리고 도망쳐 버린다. … 그는 삯꾼이어서 양들을 조금도 생각지 않는다. 하지만 나는 착한 목자이다. 나는 내 양들을 알고 내 양들도 나를 안다. …나는 내 양들을 위하여 목숨을 바친다."라고 하신다. 이 말씀은 우리를 위해서 목숨을 바치시는 주님의 모습을 잘 드러내 준다.

양들을 위해 자신을 희생하는 착한 목자의 모습 앞에서 잠시 목자, 또는 사목자라 불리는 사제들의 복장에 대해서 생각해 보자. 가톨릭 교회의 신부들은 로만 칼라(Roman collar)를 착용한다. 로만 칼라를 한 신부들이 서 있는 모습을 보면 펭귄이 연상된다는 사람들도 있다. 미국에서는 사제 영명축일 때 심심치 않게 로만 칼라를 한 큰 펭귄 인형을 선물하기도 한다. 그럼 왜 신부들은 로만 칼라를 하는가? 그것은 펭귄의 삶이 희생적이기 때문이 아닐까? 펭귄은 암놈이 알을 낳으면 (보통 두 알) 그 알을 품고 부화시키는 책임은 수놈에게 있다고 한다. 수놈 펭귄이 알을 품고 있는 동안 암놈은 양식을 구하기 위해 먼 바다로 사냥을 떠난다. 그 동안 수놈 펭귄은 알을 품고 40일 남짓 혹한과 눈보라에도 꼼짝 않고 서 있는다. 멋쟁이 신사처럼 보이던 검은 깃털이 다 빠지고 먹지 못해서 아사할 지경이 될 때야 새끼들이 태어난다. 그리고 사냥 나간 어미 펭귄이 뱃속에 먹이를 가득 채우고 돌아온다. 돌아온 어미 팽귄은 뱃속에 저장해 온 먹이들을 반추(反芻)해서 먹이는데 막 태어난 새끼들만 먹이고, 40일을 알을 품어준 아비 펭귄은 거들떠보지도 않는다고 한다. 어찌 암놈이 그렇게 무심할 수 있으랴 싶지만 동물의 세계는 일

단 새끼가 태어나면 암놈은 수놈보다 새끼를 더 생각한다. 개도 새끼가 태어나면 암놈은 한동안 새끼를 돌보느라고 수놈을 거들떠보지도 않는다. 아무튼 수놈은 새끼들이 어미 펭귄에게서 음식을 받아먹는 것을 바라만 보다가 기력이 다하여 나뒹굴다 때로는 죽는 놈도 있다고 한다.

펭귄 아비와 같은 존재가 바로 신부(神父)이다. 신부란 한자어를 우리말로 풀이하면 '영적 아버지'란 뜻이다. 신부는 신자들의 아버지이다. 신자들을 섬기면서 매일같이 죽도록 불린 영적 아버지이다. '어느 사제도 자기 자신을 위해서는 존재하지 않는다(Nemo sacerdos sibi).' 본당 신부들의 주보 성인인 아르스의 성자 비안네는 자신이 200명이나 되는 신자들의 영혼을 책임지고 있다는 사실 앞에서 늘 두려워 떨며 그들을 섬기는데 최선을 다했다.

신부들이 로만 칼라를 하게 된 진짜 이유가 무엇인지는 모르겠지만 어쨌든 펭귄의 모

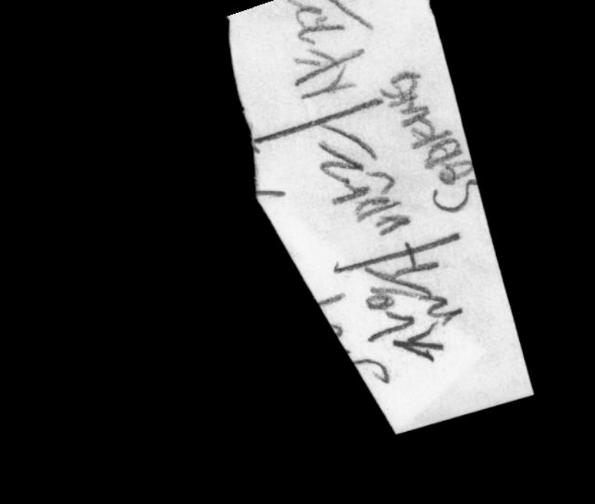

습을 닮은 것은 우연만은 아닌 것 같다. 신부가 착용하는 로만 칼라는 목자의 옷이다. 양들을 위해서 죽는 목자들이 입는 옷이다. 불교식으로 표현하면 법복(法服)이다. 불교에서 법복은 깨달음과 자비의 옷이다. 곧 깨달음을 얻어 자비로운 삶을 실천하는 이들이 입는 옷이다. 교회는 신부들에게 깨달음과 자비의 사제가 되어 양들을 위해서 죽는 목자가 되도록 이 법복(法服)을 입힌 것이리라. 에밀 브리에르는 양들을 위해 헌신하는 사제의 구체적인 모습을 다음과 같이 말한다.

> 가난하게 사는 사제, 환경이 요구하는 대로 기꺼이 자신의 생각을 바꾸는 사제, 성령께 마음을 여는 사제, 주님 앞에 완전히 발가벗은 채로 나서서 그분께서 원하시는 바가 무엇인지를 진정으로 묻는 사제, 이기적이지 않은 사제, 비평과 오해를 인내로써 마음에 새기는 사제 그리고 자기 연민 없이 서서히 그리스도께 백성을 데려

가는 사제.[14]

목양(牧羊)의 책임을 주님으로부터 직접 받은 베드로 사도는 다음처럼 사제의 깨달음과 자비의 모습을 강조한다.

하느님께서 여러분에게 맡겨주신 양떼를 잘 치십시오. 그들을 잘 돌보되 억지로 할 것이 아니라 하느님의 뜻을 따라 자진해서 하며 부정한 이익을 탐내서 할 것이 아니라 기쁜 마음으로 하십시오. 여러분에게 맡겨진 양떼를 지배하려 들지 말고 오히려 그들의 모범이 되십시오. 그러면 목자의 으뜸이신 그리스도가 나타나실 때에 여러분은 시들지 않는 영광의 월계관을 받게 될 것입니다.(1베드 5,2-4)

---

14 에밀 브리에르, 「사제는 사제를 필요로 한다」(서울 : 성모, 1994), 67-68.

아쉬울 것 없노라

야훼 하느님께서 목자이기에 아쉬울 것이 없다는 말에서 "아쉬울 것이 없다."란 말은 우선 부족함이 없다는 말로 해석될 수 있다. 목자가 살신성인의 자세로 양 한 마리 한 마리를 돌보아 주기에 부족함이 없다는 말이다. 나아가서 "아쉬울 것이 없다."란 말은 목자의 돌봄에 대해 더없이 만족한다는 뜻도 된다.

현실적으로 생각할 때 팔레스티나의 양들이 언제나 부족함 없이 행복하게 사는 것은 아니다. 자주 먹을 풀이 없어서 빌빌대고 영양부족으로 털도 빠진다. 하지만 아쉬울 것이 없다고 말하는 것은 하느님께서 마음만 먹으시면 비를 내려주시고 풀도 주시기 때문이다. 비록 지금은 태양만이 내리쬐고 메마른 잡초들만 있을 뿐이지만 하느님께서 비를 내려주시면 천지에 생명이 넘쳐흐르기에 아쉬울 것이 없는 것이다. 나아가 착한 목자가 자신의 목숨을 바쳐가며 돌보아 주는데 어찌 부족함을 느낄 수 있겠는가?

푸른 풀밭에 누워 놀게 하시고 물가로 이끌어 쉬게 하시니

이 구절에 나오는 두 가지 혜택은 양떼들이 목자를 완전히 신뢰함으로써 누리게 되는 당연한 결과이다. 어디에 풍요로운 목초지가 있고 어디에 시원한 물이 있는지를 잘 알고 있는 목자를 의지하고 따라다닌 덕분에 양들은 푸른 풀밭에 누워서 쉬기도 하고 시원한 물가에서 목을 축이기도 한다. 우리가 누리는 평화로운 삶도 마찬가지다. 우리가 착한 목자이신 주님을 완전히 신뢰하면서 주님께서 이끄시는 대로 따라다닌다면 안식이라는 선물을 받게 된다.

양들의 실제 상황과 관련해서 "푸른 풀밭에 누워 놀게 하시고"란 구절의 깊은 뜻을 헤아려 보자. 양들은 겁이 많고 까다로운 짐

승이라서 쉽게 눕지 않는다. 아무리 파아란 풀밭이 눈앞에 펼쳐져 있다고 해도 다음 몇 가지 조건이 채워지지 않는다면 양들은 눕지 않는다. 첫째, 일체의 두려움이 제거되어야 한다. 둘째, 양들 사이에 존재하는 위계질서에서 오는 마찰과 갈등이 제거되어야 한다. 셋째, 배가 불러야 한다.[15] 이상 세 가지 걱정거리에서 자유로워져야만 양들은 비로소 누워 쉴 수 있다. 그러니 이 모든 걱정거리를 없애주고 푸른 풀밭에 누워 쉴 수 있도록 해주는 목자는 정말로 좋은 목자이다. 그는 양들을 위해서 모든 수고와 헌신을 아끼지 않는 목자이다.

우리는 조그마한 두려움이라도 밀려오면 얼마나 빨리 평화를 잃어버리고 우왕좌왕하

---

15. 이하에 전개되는 세 가지 조건에 대한 필자의 설명은 켈러의 책(앞의 책), 35-45를 참조하였음을 밝힌다. 본시 켈러는 네 가지 조건을 언급하고 있다. 필자는 이 중 한 가지 조건을 생략했는데, 그것은 날파리와 벌레들이 제거되어야 한다는 것이다.

는가! 우리의 실존은 무척 불안하고 나약해서 내일을 기약할 수 없다. 오늘은 평화를 누린다 하더라도 내일은 무참히 깨어져 버린다. 그래서 그런가, 성서에서 가장 자주 언급되는 주님의 말씀은 "두려워하지 말라."이다. 하느님께서는 순례 여정에 있는 아브라함에게 "무서워하지 말라, 아브람아, 나는 방패가 되어 너를 지켜주리라."(창세 15,1) 하시며 위로하신다. 같은 위로의 말씀이 광야에서 여러 차례 우물을 파야 했던 이사악에게 주어진다(창세 26,24). 또 같은 위로의 말씀이 이집트 땅을 향해 내려가던 야곱에게도 내린다(창세 46,3). 이렇게 "두려워하지 말라."는 위로의 말씀은 성서 여기저기에 나온다.[16] 우리는 이 말씀을 대할 때마다 그냥

16. 졸저 「고통, 그 인간적인 것」에서도 언급하였듯이 "두려워하지 말라."라는 말씀은 성서에 365번 나온다. 일 년은 365일이니, 하루에 한 번은 주님께서 꼭 이 말을 들려주시면서 겁 많은 우리를 격려하고 위로해 주시는 것이다.

지나치지 말아야 한다. 양들을 위해 목숨을 바치는 착한 목자께서 진심으로 하시는 말씀이기에 혼으로 들어야 한다. 힘겨운 인생살이 속에서도 두 다리를 펴고 편히 쉴 수 있다면 그것은 착한 목자께서 매일같이 우리와 함께하시면서 "두려워하지 말라."고 위로해 주시기 때문이다. 우리가 이 사실을 의식할 때 아무것도 무서워할 것이 없다. 아빌라의 데레사 성녀는 이렇게 말한다.

그 무엇에도
너 마음 설레지 말라.
그 무엇도
너 무서워하지 말라.
모든 것은 지나가고
님만이 가시지 않나니
인내함으로 모두를 얻느니라.
님을 모시는 이
아쉬울 것 없나니
님 하나시면
흐뭇할 따름이니라.

양들이 푸른 풀밭에 누워 쉬기 위한 두 번째 조건은 양들 사이에 존재하는 위계질서에서 갈등들이 해소되었을 때이다. 살찌고 힘이 센 양들은 힘없는 양들이 목초지 위에 누워 있으면 가만히 놔두지 않는다고 한다. 넓은 목초지에 누울 자리가 충분히 있어도 살찌고 힘센 양들은 약한 양들이 누워 있는 것을 보면 돌진해 가서 옆구리와 어깨로 받아 버린다. 힘없는 양을 받을 때에는 눈동자를 팽창시키고, 목을 활처럼 굽힌 뒤, 머리를 숙이고 돌진해 받는다.

일반적으로 양들 사이에서 두목이 되는 양은 살찌고, 힘세고, 지배적이며, 교활한 암양이다. 그리고 그 밑에는 중간 두목들이 있다. 그러니까 먼저 두목격인 암양이 가장 좋은 자리를 차지하고 난 다음에 중간 두목이 되는 양들이, 그 다음에 그 외의 양들이 풀밭을 차지하게 되는 것이다. 이러한 위계질서는 우리 인간 사이에서 흔히 발견되는 모습이다. 양과 인간을 모두 창조하신 하느님께서는 양의 모습이 바로 인간의 모습이란 점을 누구보다도 잘 아셨을까? 하느님께서는 그래서인지 다음과 같이 경고하신다.

> 주 야훼가 말한다. 너희는 나의 양떼이다. 나는 이제 양과 양 사이, …시비를 가려주리라. 너희 가운데는 그 좋은 초원에서 풀을 뜯는 것만으로 부족한지 남은 초원들을 짓밟는 것들이 있다. 맑은 물을 마시고 나서는 첨벙첨벙 흐려놓는 것들이 있다. 그래서 (약한) 양떼는 짓밟힌 풀을 뜯어야 하고, 흐려놓은 물을 마시게 되었다. 그래서 주 야훼가 말한다. 나 이제 몸소 살진 양과 여윈 양 사이의 시비를 가려주리라. 너희들은 약한 양들을 모조리 옆구리와 어깨로 밀쳐내고, 뿔로 받아 우리 바깥으로 쫓아 흩어버리기까지 하였다.(에제 34,17-21)

세 번째로 양들이 풀밭에 편히 누워 쉬려

면 배가 불러야 한다. 풀이 넉넉한 목초지에서 배부르게 먹은 후에야 양들은 쉴 수 있다. 그런데 풀이 넉넉한 목초지가 우연히 주어지는 것은 아니다. 광야가 대부분인 팔레스티나 땅에서 양들을 푸른 풀밭으로 인도하는 것은 목자들이 땀 흘린 결과 때문이다. 목자들이 돌을 골라내고, 덤불과 나무 뿌리들을 제거하고, 땅을 갈아 양들이 먹을 식물의 씨앗을 뿌리고, 물을 주고, 잡초들을 제거해 주어야 비로소 풀밭이 생기는 것이다. 목자의 땀과 수고가 있어야 양들이 배불리 먹고 풀밭에 누워 쉴 수 있는 것이다. 마찬가지로 우리의 목자이신 주님께서는 엄청난 수고를 하시면서 우리에게 넉넉한 삶의 자리를 마련해 주신다.

물가로 이끌어 쉬게 하시니 지쳤던 이 몸에 생기가 넘친다

주님은 목마른 우리에게 맑은 물, 영원한

생명의 물을 주신다. 주님께서 말씀하신다. "목마른 사람은 다 나에게로 와서 마셔라. …그 속에서 샘솟는 물이 강물처럼 흘러나올 것이다."(요한 7,37-38) 주님은 인간에게 언제나 샘이 깊고 맑은 물을 주시려 하지만 우리는 생명수가 아닌 다른 물을 마시려는 경향이 있다. 이러한 우리에게 하느님은 이렇게 경고하신다. "나의 백성은 두 가지 잘못을 저질렀다. 생수가 솟는 샘인 나를 버리고 갈라져 새기만 하여 물이 괴지 않는 웅덩이를 팠다."(예레 2,13) 양들이 목이 마르면 금방 지치고 불안해하듯이 우리도 주님이 주시는 생명수를 마시지 못하면 영적인 활기를 잃건만 우리는 탁한 물, 고인 물을 마시려 한다. 아우구스티노 성인의 말씀처럼("오, 주님. 우리 영혼은 당신 안에서 쉼의 자리를 찾기까지 불안해하나이다.") 주님 안에서 생명수를 발견하기 전까지는 우리 영혼이 편히 쉴 수 없건만 우리는 세상이 주는 탁한 물을 마시려 애를 쓴다.

인도하시는 길 언제나 바른 길이요

목자가 양떼를 인도하는[17] 길은 언제나 바른 길이다. 그러나 이 길은 편안한 길, 안락한 길을 가리키지 않는다. 성서에는 '바른 길'이 아니라 '곧은 길'이라고 번역되어 있다.[18] 곧은 길이 바른 길을 의미할 수도 있겠지만 보통은 '구부러진 길'의 반대 의미로서 사용된다. 곧 지름길로 해석되는 것이다. 곧은 길로 번역한 데는 주님이 착한 목자시라면 당신의 양떼를 이리저리 끌고 다녀 고생시키지 않고 지름길로 인도할 것이란 기대가

17. 목자는 양떼를 몰고 가지 아니하고 인도한다. 여기서 '인도한다.'는 말은 구원사적 의미를 갖는다. 주님께서 당신의 백성 이스라엘을 약속의 땅으로 인도하실 때 쓰였기 때문이다(출애 15,13 ; 시편 31,3). 김정우, '시편 23편 : 그 아름다움과 은혜', 「신학지남」 251(1997), 132-65, 특히 148 참조.
18. 프로테스탄트 성서인 표준번역에서는 '의의 길'로, 임승필 신부가 번역한 시편은 '바른 길'로 되어 있다.

있을 것이다.

그렇다면 목자이신 주님께서 당신 양떼를 인도하실 때 지름길로 인도하시는가? 사랑 자체이신 주님께서 우리를 인도하실 때 고생하지 않도록 편안한 길로 인도하시는가? 만약 그렇다면 어떻게 이집트를 탈출한 이스라엘 백성이 무려 40년이란 긴 세월을 시나이 광야를 헤매야 했는가? 왜 주님께서는 3,4일이면 갈 수 있는 해안 길을 두고 돌아가야만 하는 광야 길로 이스라엘을 인도했는가?[19] 그렇다면 40년이란 긴 세월 동안 이스라엘을 광야에서 헤매게 하신 주님은 착한 목자가 아니란 말인가? 물론 주님은 착한 목자이시다. 이스라엘이 걸었던 광야 40년은 분명 바른 길이었다. 그 길을 통해서 이스라엘은 수백 년간 익숙했던 이집트의 삶을 벗어던지고

19. 해안 길이 아닌 시나이 광야를 간다 하더라도 호렙산에서 곧은 길로 갔다면 열하루면 충분하다(신명 1,2).

하느님 백성으로 정화, 단련될 수 있었다.

> 너희는 지난 사십 년간 광야에서 너희 하느님 야훼께서 어떻게 너희를 인도해 주셨던가 더듬어 생각해 보아라. 하느님께서 너희를 고생시킨 것은 너희가 당신의 계명을 지킬 것인지 아닌지 시련을 주어 시험해 보려고 하신 것이다. 하느님께서는 너희를 고생시키시고 굶기시다가 너희가 일찍이 몰랐고 너희 선조들도 몰랐던 만나를 먹여주셨다. 이는 사람이 빵만으로는 살지 못하고 야훼의 입에서 떨어지는 말씀을 따라야 산다는 것을 너희에게 가르쳐 주시려는 것이었다.(신명 8,2-3)

하느님은 곡선으로 직선을 그리시는 분이다. 이스라엘이 빙빙 돌아갔다고 생각했던 광야의 길은 그들을 하느님 백성으로 양성하기 위해서 꼭 필요한 길이었다. 하느님은 이스라엘이 덜 준비된 채 서둘러 약속의 땅에 들어가기보다는 시간이 걸리더라도 준비되어 들어가기를 원하셨다.

우리는 영원한 생명과 이 세상의 편안한 삶 중에서 하느님이 어느 삶을 돌보아 주시기를 바라는가? 하느님이 어떤 삶에 신경을 써주시기 원하는가? 영원한 생명인가, 언젠가는 스러질 목숨인가? 당신이 있어야 할 자리보다는 있지 말아야 할 자리, 위험한 자리에 있을 때 하느님께서 당신을 바른 자리로 이끌어 주기를 바라는가? 하느님은 우리가 모르는 것을 알고 계시고, 우리가 보지 못하는 것을 보고 계시다. 주님께서 인도하시는 길은 항상 바른 길이다. 때로 주님께서 우리를 고생시키는 것 같아도 주님께서 친히 인도하신다면 그 길은 우리에게 선이 되는 '바른 길'이다. 때로 앞이 보이지 않고 혼란스럽더라도 주님께서 우리를 인도하신다면 그 길은 우리에게 가장 맞는 길, '바른 길'이다. 길이요 진리요 생명이신 예수께서 이 세상에 오신 것은 "양들이 생명을 얻고 더 얻어 풍성하게 하려는 것이었다."(요한 10,10) 우리 생명을 풍성케 하기 위해서 주님은 우리를 잘 먹고 잘살 수 있는 길로 인도하기보다는 바르게 살아갈 수 있는 길로 인도하신다. 그러니 우리가 원하는 바를 청하기보다는 하느님이 올바르다고 보는 바를 하시도록 청해야 할 것이다.

신앙은 인간 이해의 차원을 넘어서는 것이다. 그것은 언어의 표현을 넘어서는 것이다. 우리가 인간적으로 편안하고 평탄한 길을 걸어갈 때에만 하느님께 신뢰와 신앙을 둘 수 있다면 그것은 값싼 신앙이다. 참 신앙은 가파른 길에서도, 앞이 보이지 않는 어둠 속에서도 하느님이 나를 인도하고 계시고 돌보고 계심을 확신하는 것이다. 우리가 이 생에 대해서 알고 있는 것보다 훨씬 더 많은 것을 하느님께서 알고 계시며 우리를 인도하심을 믿는 것이다. 흔히들 신앙의 삶이란 마치 10미터 낭떠러지에서 손을 놓는 것과 같다고 한다. 온전히 내어맡기는 의탁의 마음이 없이는 허공에서 손을 놓을 수 없다. 신앙의 신비는 바로 주님이 인도하시는 대로 자신을 온전히 내어맡기는 의탁 안에 존재한다. 다음 글은 언젠가 감동으로 읽었던 영성시이다.

처음 '생명으로 가는 길'은 밝아만 보였다. 눈앞에 펼쳐진 그 길은 훤히 뻗어 있었고, 주님께서는 나의 친구가 되어, 나의 안내자가 되어서 내 옆에 서 계셨다.

그런데 '생명으로 가는 길'을 나선 지 얼마 안 되어 날은 저물고, 길은 험해지고, 가팔라지기 시작했다. 다리의 힘은 빠지고 아파 도저히 걸을 수가 없었다.

그래서 나는 주저앉아 앞서 걷고 있던 주님께 울부짖기 시작했다. "주님! 왜 이렇게 힘든 길로 저를 이끄십니까? 왜 저를 이렇게 고통스럽게 만드십니까? 생명의 길을 향해서 나아가는 데 왜 이렇게 험한 길로 인도하십니까? 왜 제게 곧고 편안한 길을 걷게 하지 않으십니까? 도대체 어디에 생명의 길이 있습니까? 이제 저는 더이상 걸을 수가 없습니다."

내가 이렇게 외치자 주님께서는 가던 길을 멈추시고 돌아서서 말씀하셨다. "아들아, 네 믿음은 어디에 있느냐? 나에 대한 너의 믿음은 도대체 어디로 갔느냐? 나는 너를 사랑하기에 이 길을 택한 것이다. 너를 위해서 택한 길, 바른 길이다. 그러니 믿고 따라오거라."

나 비록 어두운 골짜기를 지날지라도

지금까지 시편 저자는 주님과의 관계를 삼인칭으로 고백해 왔으나 이제부터는 일인칭을 사용해 주님과의 인격적인 관계를 표현한다. 다시 말하면 지금까지 주어는 '야훼'였지만 이제부터는 '나'이다. 낮시간 동안은 야훼께서 푸른 풀밭과 시원한 물가로 나를 이끌어 쉬게 하시었으니, 야훼의 수고에 대한 응답으로 지금 밤시간 '나'는 비록 어두운 골짜기를 지나가지만 야훼를 신뢰하겠다는 것이다. 이 구절은 주님과 양, 상호간 인식과 응답이 얼마나 깊은지 알 수 있게 한다.

"어두운 골짜기"에서 "어두움, 캄캄함"은 음산함의 이미지이고, 다시 음산함은 죽음의 이미지로 발전된다. 그래서 우리말 공동번역 성서에서는 "나 비록 음산한 죽음의 골짜기를 지날지라도"로 번역하고 있다. 실상 죽음과 어두움은 연결되어 있으니, "나 비록 어두운 골짜기를 지날지라도"는 "나 비록 어두운 골짜기를 걸어가며 그 어두움 속에서 죽음을 체험한다 하더라도"가 된다.

어두운 골짜기를 지나는 동안 양떼는 마실 수도, 먹을 수도 없다. 밤시간은 양들에게는 죽음을 체험하는 시간이다. 이 시간에 양들이 할 수 있는 것은 인내롭게 묵묵히 걸어가는 일뿐이다. 양들이 목자에게 "어서 이 어두움을 제거해 주세요. 빛을 비춰주세요."라고 요구할 수는 없다. 어두움은 시간이 흘러

빛이 비치기 전까지는 물러가지 않는다. 그러니 양들은 목자에게 어두운 골짜기 대신 밝고 평탄한 길을 요구하기보다 목자가 자기들과 함께하고 있다는 사실을 깊이 인식하면서 힘을 내야 할 것이다.

이 구절에서 중요한 말은 "비록"이다. "비록"이라는 신앙고백이 우리 가슴 깊은 곳에서 우러나와야 한다. "비록"은 시련 앞에서 그 시련을 적극적으로 대면하려는 우리의 태도를 드러낸다. "나 비록 어두운 골짜기를 지날지라도 내 곁에 주님 계시오니 무서울 것 없노라." 신앙으로 어두움의 시간을 이겨낸 수많은 사람들 중에 앤 질리언이라는 할리우드의 영화 배우가 있다. 그녀는 어느날 헬스 클럽에서 운동을 하다가 우연히 가슴에 딱딱한 혹이 있는 것을 발견했다. 혹시 암이 아닌가 싶어 즉시 운동을 중단하고 병원에 전화를 걸어 서둘러 약속을 했다. 그리고 정밀검사를 받는 날, 질리언은 병원으로 차를 몰고 가다가 너무나도 두려워 방향을 바꾸어 성당으로 갔다. 진찰을 받기 전에 기도를 해야겠다는 생각이 들었기 때문이었다. 질리언은 성당에 들어가기 전 우연히 성당문 옆에 새겨진 글을 읽게 되었다. 사실 그녀는 오랫동안 그 성당을 다녔기에 성당문 옆에 팻말이 붙어 있는 것은 알았지만 그 글을 읽어본 적은 없었다. 그녀가 그때 처음으로 읽은 팻말 내용은 다음과 같았다.

> 언제나 같은 아버지 하느님이 오늘 너를 돌보듯이 내일 그리고 매일 너를 돌보아 주리라. 그분은 너를 고통에서 보호해 주시고, 또 고통을 견딜 수 있도록 힘을 주시리라. 그러니 평안하거라. 모든 염려와 근심을 버리거라.[20]

성체 앞에 꿇어앉은 앤 질리언은 조금 전 읽었던 글귀가 자기 것이 되기를 진심으로

---

20. 이것은 본래 성 프란치스코 드 살이 하신 말씀이다.

기도하였다. 얼마 후 그녀의 마음은 내적인 평화로, 주님께 의탁하는 마음으로 가득하게 되었다. 정밀조사 결과는 암이었다. 곧 수술과 화학치료가 진행되었다. 그런데 그녀의 내적 평화가 얼마나 깊었던지 그녀를 치료했던 의료진까지도 하느님을 믿게 되었다.

앤 질리언이 읽었던 말은 어두운 시간에 주님께서 인간을 위해 하시는 일이 무엇인지, 그리고 인간이 해야 할 일이 무엇인지를 분명히 알려준다. 먼저, 하느님은 사랑의 아버지시라는 것이다. 사랑의 아버지이신 하느님께서는 당신 자녀인 우리를 고통에서 보호하시고, 또 고통을 견딜 수 있는 힘을 주신다. 고통을 견딜 수 있는 힘을 주신다는 말은 하느님께서는 그 고통을 없애기보다는 잘 견딜 수 있수록 용기를 주신다는 말이다. 그러니 인간 편에서는 아무리 힘겨운 시간을 보낸다 하더라도 주님께서 함께하시며 돌보아 주신다는 사실을 잊지 말고 절망하지 말아야 한다. 다시 한번 그녀에게 깨달음을 주었던 영적 가르침을 읽어보자.

> 언제나 같은 아버지 하느님이 오늘 너를 돌보듯이 내일 그리고 매일 너를 돌보아 주리라. 그는 너를 고통에서 보호해 주시고, 또 고통을 견딜 수 있도록 힘을 주시리라. 그러니 평안하거라. 모든 염려와 근심을 버리거라.

마지막 구절 "모든 염려와 근심을 버리거라."는 주님께서 우리 나약한 인간에게 주시는 큰 위로의 말씀이다. 이 위로의 말씀은 주님께서 우리 앞길에 모든 어려움과 장애물을 제거하고 "우리의 길을 편안하게 만들기 때문이 아니라 길이 험난할 때에도 포기하지 않고 걸어갈 수 있도록 하시기 때문에" 모든 염려와 근심을 버리라는 말이다.[21] 시편에 다

---

21. Naomi H. Rosenblatt, *Wrestling with Angels* (New York : Delacorte, 1995), 133.

음과 같은 구절이 나온다. “야훼, 사람의 발걸음을 인도하시니 그 발걸음이 안정되고 주님 뜻에 맞는다.”(시편 37,23) 이 구절에서 주의할 것은 야훼 하느님의 인도를 받는 사람은 언제나 발걸음이 안정되어서 넘어지지 않는다는 말이 아니라 그 다음 구절인 “야훼께서 그의 손을 붙잡아 주시니 넘어져도 거꾸러지지는 아니하리라.”(시편 37,24)에서 “넘어져도”란 구절이다. 야훼 하느님께서는 우리 발걸음을 안정되게 인도해 주시지만 우리는 넘어지기 일쑤다. 요컨대 넘어진다 하더라도 쓰러진 채 있지는 않는다는 것이다. 시편 37의 정신은 바오로 사도의 다음 고백에서도 드러난다.

> 우리는 아무리 짓눌려도 찌부러지지 않고 절망 속에서도 실망하지 않으며 궁지에 몰려도 빠져 나갈 길이 있으며 맞아 넘어져도 죽지 않습니다. …그것은 우리의 죽을 몸에 예수의 생명이 살아 있음을 드러

내려는 것입니다.(2고린 4,8-11)

앤 질리언이 읽은 영적 가르침이나, 시편 37장이나, 고린토 후서 4장이나 다 같은 가르침이다. 주님이 우리에게 베푸시는 은총은 우리 인생길에서 어두운 밤을 치워주는 것이 아니라 우리가 어두운 밤길을 잘 걸어갈 수 있도록 도와주고, 걸어가는 도중에 넘어졌다면 즉시 일어나 다시 걷도록 용기를 주신다는 것이다. 그러므로 우리는 인생의 어두움을 치워 달라고 할 것이 아니라 어두움 속에서도 주님을 신뢰하고 걸을 수 있는 용기를 달라고 청해야 한다.

우리의 인생길에는 반드시 어둔 밤이 있다. 질병·경제적 어려움·이별·상실·좌절의 아픔·외로움·배척당함 등등. 우리는 주님과 함께 이 어려운 시간을 거쳐야 할 것이다. 요즘같이 경제적으로 어려울 때는 더욱 그렇다. 많은 사람들이 고통스런 시간을 견디지 못해 스스로 목숨을 끊어버리기도 한다. 얼마 전 신문 보도에 의하면 하루 평균 40명의 사람들이 자살한다고 한다. 하지만 그래서는 안 된다. 아무리 힘들다 하더라도 결코 절망해서는 안 된다. 꽃은 아침에 피어나기 위해서 밤에 준비한다. 아름다운 꽃봉오리가 이슬을 머금고 활짝 피어나기 위해서는 어두운 밤 동안 준비해야 한다. 밤이 없다면 꽃은 피어나지 못할 것이다. 우리 인생의 밤도 마찬가지다. 우리가 이 어두운 IMF라는 밤을 인내하고 극복하지 못한다면 우리 인생의 꽃은 피어나지 못할 것이다.[22]

특별히 신앙인들은 절망해서는 안 된다. 교회는 인류 역사상 가장 어두움이 짙었던 날에 거룩할 성(聖)자를 붙인다. 인간이 하느님을 죽였던 금요일을 성금요일이라고 부른다. 그것은 부활 때문이다. 부활이 인류에게

---

22. 옥한흠, 「고통에는 뜻이 있다」(서울 : 두란노, 1988), 57 참조.

영원한 희망을 가져다 주었기 때문이다. 신앙인들은 생의 어둠이 짙으면 짙을수록 개인적인 성금요일의 어두움으로 여기며 희망의 부활을 기다려야 할 것이다. 하바꾹 예언자는 세상 모든 것이 다 사라진다 해도 하느님은 영원하기에 자신은 결코 절망하지 않겠다고 말하였다.

> 비록 무화과는 아니 열리고 포도는 달리지 않고 올리브 농사는 망하고 밭곡식은 나지 않아도, 비록 우리에 있던 양떼는 간데 없고 목장에는 소떼가 보이지 않아도 나는 야훼 안에서 환성을 올리렵니다. 나를 구원하신 하느님 안에서 기뻐 뛰렵니다.(하바 3,17-18)

벤자민 바이르(Benjamin Weir)는 레바논 베이루트에서 선교활동을 하던 중 회교도들에 의해 납치되어 16개월을 감옥에 갇혀 있었다. 감옥은 그의 정서와 의지를 무력하게 만들기에 더없이 좋은 환경이었다. 바이르는 전깃불도 없고 창은 늘 가려져 있는 방에 홀로 갇혀 있었다. 그의 손엔 늘 수갑이 채워져 있었고 일상의 움직임은 일일이 통제되었다. 이러한 환경에서라면 웬만한 사람은 외로움과 영적 침체로 절망의 나날을 살았을 것이다. 하지만 바이르는 하느님 외에는 그 누구도 도움을 줄 수 없는 비참한 환경에서도 하느님이 자기와 함께하신다는 것을 확신하려고 노력하였다.

나는 낮잠에서 깨어났다. 그리고 낮잠, 담요, 버티는 힘에 대해 감사드렸다. 그리고 그 외에도 감사드려야 할 하느님의 선물을 찾았다. 가려진 창의 가리개를 올려서 빛이 어두운 방안으로 스며들게 했다. 그리고 방안을 둘러보며 하느님의 현존을 느끼게 하는 것이 무엇인지 헤아려 보았다. 천장에 달린 전깃줄을 보았다. 전구와 소켓은 제거되어서 전깃줄 세 가닥이 나와 있었다. 마치 세 개의 손가락 같았다. 아래를 향해 내려오는 손가락처럼. 나는 로마 시스틴 성당에 있는 미켈란젤로의 그림 '천지창조'에서 아담을 향해 손을 뻗으신 하느님의 손을 기억했다. 그러면서 지금 이 순간 하느님이 나를 향해 손을 뻗으시면서 다음처럼 말하는 것 같았다. "너는 살아 있다. 너는 나의 것이다. 내가 너를 만들었고 특별한 목적을 위해서 너를 불렀다."[23]

자연에 순환주기가 있는 것처럼 우리 신앙인에게도 순환주기가 있다. 낮이 있으면 밤이 있고, 빛이 있으면 어둠이 있고 은총이 있으면 시련이 있다. 그런데 우리에게 일어나는 모든 일들이 성스러움을 가르쳐 주기

---

23. Benjamin M. and Carol Weir, *Hostage Bound, Hostage Free* (Westminster/Jhon Knox, 1987). 실제로는 Phillip Yancey, *Where is God When It Hurts?* (Grand Rapids, MI : Zondervan, 1990), 190에서 재인용됨.

위해 마련된 것이라는 점을 깨닫기만 한다면 우리는 결코 어둔 밤에 패배하지는 않을 것이다.[24]

신앙인들이 겪는 인간적 체험은 매닝 추기경이 말씀하신 대로 그 근본에 있어서 신학적 체험, 즉 신에 대한 체험이다.[25] 다시 말하면 신앙인의 모든 체험은 영원을 향해 나아가는 것이다. 도도히 흐르는 강물도 깊은 산골짜기에서 시작하여 이 골짜기 저 골짜기를 지나면서 수많은 시련과 고비를 극복해야만 넓은 강에 이르듯이 신앙인의 체험도 수심 깊은 영적 바다에 이르기 위한 귀한 체험이다. 신앙인들은 아무리 견디기 어려운 고통이라 하더라도 시간이 흐르면서 고통이 가라앉고 심신이 회복되면 그 고통의 자리에서 하느님을 보게 된다. 언젠가 용인 묘지에서

---

24. M. 스콧 펙 「길을 떠난 영혼은 한 곳에 머물지 않는다」(서울 : 고려원미디어, 1995), 20.
25. 라디슬라우스 보로스, 「가까이 계신 하느님」(왜관 : 분도출판사, 1971), 28.

다음과 같은 묘비명을 보았다. “하느님께서 주신 석이를 하느님께서 데려가셨으니 하느님을 찬미할 뿐.” 그리고 뒤에는 다음과 같이 쓰여 있었다. “다섯 살에 죽은 석이를 그리면서. 석이 할머니 · 아빠 · 엄마 그리고 여동생이.” 석이를 잃은 가족들이 처음부터 이런 묘비명을 쓸 수 있었던 것은 아니었으리라. 처음에는 통곡하며 슬퍼했을 것이다. 하지만 신앙인이기에 고통스런 시간이 지나면서 그 아픔 안에서 하느님을 볼 수 있게 된 것이다. 이른바 신학적 체험을 할 수 있게 된 것이다.

“하느님께서 주신 석이를 하느님께서 데려가셨으니 하느님을 찬미할 뿐”이란 묘비명은 욥이 자녀와 재산을 잃어버린 후에 했던 표현이다(욥 1,21 참조). 욥이 자녀와 재산을 잃게 된 것은 사탄 때문이었다. 그런데도 욥은 “하느님이 주신 것, 사탄이 가져갔으니”라고 말하지 않는다. “하느님이 주신 것, 하느님이 가져갔으니”라고 말한다. 욥의 이러한 고백은 인생에서 벌어지는 모든 일들의 궁극적 실재가 하느님이라는 인식에서 오는 것이다. 현대 신학자들에 따르면 하느님은 모든 현상 밑의 심연이요(폴 틸리히), 모든 체험의 지평이다(칼 라너).

"어두운 골짜기"와 관련해서 십자가의 성 요한이 언급한 '영혼의 어둔 밤'을 잠시 논할 필요가 있다. 영혼의 어둔 밤이란 한마디로 영적 공허함과 무기력의 상태이다. 성서를 읽어도, 미사를 드려도, 기도와 찬미를 하여도 하느님 위로를 느끼지 못하고 구도적 열정도 시들해진 상태이다. 성서에는 신앙인들이 어둔 밤을 겪으면서 울부짖는 탄원의 기도가 많다.

야훼여! 언제까지 나를 잊으시렵니까?
영영 잊으시렵니까까?
언제까지 나를 외면하시렵니까?
(시편 13,1)

암사슴이 시냇물을 찾듯이, 하느님,
이 몸은 애타게 당신을 찾습니다.
하느님, 생명을 주시는 나의 하느님,
당신이 그리워 목이 탑니다.
언제나 임 계신 데 이르러
당신의 얼굴을 뵈오리이까?
"네 하느님이 어찌 되었으냐?"
비웃는 소리를 날마다 들으며
밤낮으로 흘리는 눈물,
이것이 나의 양식입니다.

(시편 42,2-3)

어찌하여 내가 이토록 낙심하는가?
어찌하여 이토록 불안해하는가?

(시편 42,5)

영성학자들은 모든 신앙인들의 영적 여정에는 반드시 어둔 밤이 존재한다고 주장한다. 하지만 이 어둔 밤이 영적 여정 처음부터 주어지는 것은 물론 아니다. 주님께서는 처음 신앙을 가진 이들에게는 많은 위로를 베풀어 주신다. 루이스(C. S. Lewis)에 따르면 주님은 새로이 신자가 된 사람들을 각별한 은혜로써 돌보아 준다 하였다. 부모가 온 정성을 다해서 아기를 돌보는 이치와 같다.[26] 어떤 사람은 막 쪄낸 찐방에다 비교하였다. 막 쪄낸 진빵이 뜨겁고 말랑말랑해서 더 맛있는 것같이 새로이 신자가 된 이들에게는 부드러운 사랑이 쏟아진다는 것이다.[27] 새로이 신자가 된 이들은 하느님으로부터 많은 기도의 응답을 받는다. 그들이 받는 기도의 응답 중에는 기적과 같은 것도 있다. 하지만 신앙생활을 계속하면서 하느님은 그들에게 메마르고 고독한 시간을 허락하시어 그들의 신앙을 정화하고 단련시키신다. 이 정화와 단련의 시기가 바로 '영혼의 어둔 밤'인 것이다.

---

26. C. S. *Lewis, The World's Last Night and Other Essay* (New York : Harcourt Brace Jovanovich, 1959), 10.
27. 이만재, 「막 쪄낸 찐빵」(서울 : 두란노서원), 43.

어둔 밤을 겪는 영혼은 자신과 타인과 하느님에 대한 참된 이해와 자유를 얻기까지, 가장 인간적이면서도 가장 신적인 모습을 갖추기까지 정화되고 단련된다. 한번은 어둔 밤에 대해 연구하던 사람이 대장장이에게 물었다. "당신은 금을 제련할 때 순금이 되었다는 것을 어떻게 아십니까?" 대장장이는 대답하기를 "금 속에서 내 얼굴을 볼 수 있을 때입니다. 불순물이 얼마나 섞여 있는지 알아보기 위해서는 그 속에 내 얼굴이 얼마나 정확히 보이는가를 갖고 결정합니다."[28] 그렇다. 하느님께서는 당신 모상으로 창조된 우리 안에서 당신 얼굴이 맑게 비쳐질 때까지 우리를 단련시킨다. 우리 영혼에 붙어 있는 불순물들을 고통을 통하여 정화, 제거시키신다. 그래서 하느님께서는 다음과 같이 말씀하신다. "나는 너희를 은처럼 불속에서 녹여

…ㅣ는 뜻이 있다」(서울 : 두란노,

내고, 고생의 도가니 속에서 너희를 단련시켰다."(이사 48,10) 그리고 신앙인들은 다음같이 말한다. "털고 또 털어도 나는 순금처럼 깨끗하리라."(욥 23,10)

신앙에 아무 문제가 없을 때엔 우리는 하느님이 어떠한 분인지 안다고 생각하면서 앞으로 나아간다. 하지만 어둔 밤이 다가오면 우리 영적 지식의 한계로 인하여 하느님이 어떠한 분인지를 모른 채 앞으로 나아갈 뿐이다. 어둔 밤 동안 우리는 하느님이 어떠한 분인지보다는 어떠한 분이 아닌지를 더 많이 배우게 된다. 십자가의 성 요한은 말한다. "그대가 하느님에 대해 아는 것에 대해서 만족하지 말라. 그대 자신을 하느님에 대해 모른다는 점에 의존해서 양육시켜라. 그대의 행복과 기쁨을 하느님에 대해서 듣고 느끼는 것에 두지 말고, 들을 수도 느낄 수도 없는 것에다 두어라. …그대가 덜 이해하면 할수록 더 가까이에서 하느님을 뵈올 것이다."

어둔 밤이 오면 무조건 인내하면서 언젠가

는 빛나는 대낮이 온다는 것을 희망하여야 한다. 어둔 밤은 신앙의 위기를 초래할 만큼 하느님 부재(不在)를 체험하는 시간이기에 무조건 인내할 필요가 있다. 위로가 없어도 계속 기도하고, 성서를 읽고, 미사에 참례하여야 한다. 하느님으로부터 버림받은 것 같은 느낌, 자기 혼자만 고통을 짊어지고 있는 것 같은 느낌이 하루에도 수십 번 들겠지만 주님께서 우리의 착한 목자가 되시어 우리를 바른 길로 인도하고 계시다는 것을 잊지 말아야 한다. 이 사실을 굳게 믿으면서 여명이 트기까지 깨어 기다리는 것이 신앙이다. 기다림은 예술이다. 시간이 참으로 가치있는 것은 기다림 때문이다. 비록 오늘 얻을 수 없다 하더라도 기다린다면 언젠가는 하느님을 만나 뵐 수 있을 것이다.

어둔 밤은 하느님으로부터 온 것이기에 굳이 그것을 물리치려 하지 말라. 그들은 안다. 별을 보려면 어두움은 꼭 필요하다는 것을. 다음은 예수회원인 라디슬라우스 보로스

(Ladislaus Boros)의 이야기이다.

영국의 예수회원들은 매일 저녁 '메놀로기움(Menologium)'이란 것을 낭독한다. 이것은 성인답게 산 유명한 신부들의 짧은 전기인데 나는 일 년 반 동안 이 메놀로기움을 들었다. 정직하게 말해서 전부 잊어버렸는데 한 가지만은 기억에 남는다. 그것은 한 성명 미상의 수사의 전기이다. 하긴 전기랄 수도 없었다. 그에게서 온 편지 한 장이었으니까. 이 수사는 16세기에 수도원장 명으로 영국에서 로마로 파견되었다. 그는 터키 해적들의 포로가 되어 노예로 팔렸다. 그리고 수십 년 동안 배의 노예, 노 젓는 사람으로 살았다. 어느날 그는 몰래 편지 한 장을 보냈고 우여곡절 끝에 그 편지는 영국에 도착하게 된다. 그후 영국 예수회원들은 그 편지를 매년 한 번씩 그 편지가 도착한 날 읽는다.

그 수사는 자신의 생애를 정열이나 자기연민을 섞지 않고 묘사한다. 비록 도망칠

기회가 여러 번 주어졌지만 굳이 도망하지 않았다. 그는 형제들과 떨어져 미사도 없고 인간적인 위로도 없이 내던져져 그리스도의 종으로서 마침내 그리스도를 찾아 너무나도 기쁘다고 했다. 이 수사에게서 그 후에 아무런 기별도 없었다.[29]

이 수사는 어둠 속에서 자기 존재 근거의 의미를 찾았던 것이다. 이사야 예언자는 말한다. "한 가닥 빛도 받지 못하고 암흑 속을 헤매는 자가 있거든 야훼의 이름에 희망을 걸 일이다. 자기 하느님을 의지할 일이다." (이사 50,10)

내 곁에 주님 계시오니 무서울 것 없어라

신앙이란 신비스런 체험이나 환시, 하늘에

---

29. 라디슬라우스 보로스, 「가까이 계신 하느님」(왜관 : 분도출판사, 1971), 65.

서 들려오는 소리 같은 것이 아니다. 신앙이란 하느님은 참으로 존재하시는 선하신 분이고, 그 하느님이 나를 사랑으로 창조하셨으며, 나를 홀로 내버려 두지 않으시고, 특히 어두운 시간에 나를 안아주시는 분이라는 사실을 믿는 것이다.

영성 중에서 가장 보배로운 영성은 주님께서 나와 함께하신다는 사실을 끊임없이 확신하는 것이다. 그 까닭은 주님께서 우리와 함께한다는 것은 구세주의 이름이기도 하고, 구세주의 영원한 약속이기 때문이다. 예수 그리스도의 이름은 임마누엘이다. "동정녀가 잉태하여 아들을 낳으리니 그 이름을 임마누엘이라 하리라."(마태 1,23) 임마누엘은 '주님이 우리와 함께' 계시다는 뜻이다. 임마누엘이신 구세주께서 구원사업을 다 마치시고 하늘로 승천하실 때 제자들에게 다음과 같이 약속하셨다. "내가 세상 끝날까지 항상 너희와 함께 있겠다."(마태 28,20) 그러니 주님께서 나와 함께하고 있음을 깨닫는 것은 시련의

시기에 가장 큰 보호자를 갖게 되는 것이다.

아프리카 어느 부족에서는 아들이 어느 정도 자라 성인식을 치를 때가 되면 아버지가 아들을 데리고 칠흑같이 어둔 밤 밀림 속으로 가 칼 한 자루만을 주고 돌아온다. 아들은 밀림 속에서 혼자 밤을 지새워야 하는 것이다. 맹수들의 울음소리, 풀벌레 소리, 바스락거리는 소리에도 신경을 곤두세우고 두려움에 떨면서 뜬눈으로 긴긴 밤을 보내게 된다. 그렇게 밤이 가고 어렴풋이 주위를 분간할 수 있는 시간이 오면 아이는 소스라치게 놀라게 된다. 왜냐하면 얼마 떨어지지 않은 곳에서 아버지가 완전무장을 하고 자기를 지켜보고 있었다는 것을 알게 되기 때문이다. 그리고 아이는 '아하, 나는 혼자서 무서운 밤을 보냈다고 생각했는데 그게 아니었구나. 아버지가 내 옆에 함께 계셔 밤새 나를 돌보아 주었구나.' 하고 깊이 깨닫게 된다. 그후 그 아이는 어디를 가더라도 두려워하지 않게 된다. 비록 아버지가 눈에 보이지 않아

도 어딘가에서 항상 자기를 지켜봐 주고 돌보아 줄 것이라고 믿기 때문이다.[30]

생에서 가장 중요한 질문은 "내가 얼마나 강한 인간인가?"가 아니라 "우리의 하느님이 얼마나 강하신 분인가?"이다. 우리가 아빠, 아버지라 부르는 하느님이 생의 굽이굽이에서 우리를 돌보고 계심을 믿는다면 한결 안심하게 될 것이다.

막대기와 지팡이로 인도하시니 걱정할 것 없어라

지팡이의 역할은 일반적으로 다음 두 가지이다. 목자에게 지팡이는 팔의 연장으로, 위기상황에서 목자의 힘을 보강시켜 주는 무기가 된다. 목자는 들짐승이나 독사가 가까이 오면 막대기로 자신은 물론 양도 위험에서

30. 박상훈, 「내일이 무엇이니? 영생이 무엇이니?」(서울 : 크리폼, 1994), 25.

건져주는 것이다. 또한 지팡이는 양을 길들이고 교육시키는 훈련도구이다. 어느 양이 제대로 따라오지 않으면 막대기로 양의 허리를 가볍게 두들겨 주면서 따라오도록 만드는 것이다.[31]

그런데 이 구절처럼 목자와 양이 어두운 골짜기를 지날 때면 지팡이는 앞의 일반적 기능 이외에 다른 기능도 발휘한다. 어두운 밤, 더구나 달도 뜨지 않아 칠흑같이 어두운 밤에 목자가 양들을 몰고 가는 것이 가능할까? 그렇다. 목자는 양들을 앞장서 가면서 탁탁 지팡이 소리를 내면 양들은 비록 보이지는 않지만 안심하고 어두운 길을 갈 수 있는 것이다.

지팡이는 목자의 현존을 가리킨다. 우리 삶에 짙은 어두움이 몰려오고 목자의 모습도 보이지 않을 때, 즉 하느님의 모습이 전혀 보이지 않을 때라도 지팡이 소리로 하느님의

31. Keller, 앞의 책, 93.

현존을 감지하게 된다. 하느님께서는 절망 가운데서도 우리를 돌보고 계심을 알려주기 위하여, 또 올바른 방향을 알려주기 위하여 지팡이 소리를 내신다.

어둠이 짙으면 우리는 잘 볼 수 없다. 하지만 주님이 우리와 함께 계심을 믿어야 한다. 그러니 우리는 느낌이나, 보이는 것에 의지하지 말고 오로지 주님의 신실하심에 의지하여야 한다. 비록 주님을 볼 수 없어도 주님이 함께하신다는 사실만 굳게 믿으면 우리는 주님의 목소리를 들을 수 있다.

인생의 어둔 밤에서 우리가 의존해야 할 유일한 지팡이는 하느님의 손에 있는 지팡이이다. 그러나 사람이 고통의 순간에 하느님의 지팡이가 아닌 다른 지팡이에 의존해서 일어서려 애쓰는 일이 얼마나 많은가. 사람에 따라 조금씩 차이는 있겠지만 우리는 하느님의 지팡이가 아니라 자신의 지팡이에 의지하여 가려고 한다. 어떤 이는 학위나 지위가 지팡이일 것이요, 어떤 이에게는 재물이 지팡이일 것이다. 그러나 어둔 밤을 지나려면 하느님의 지팡이 이외에는 어떤 지팡이도 우리에게 도움이 되지 못한다. 오히려 다른 지팡이를 쥐고 있게 되면 하느님의 지팡이에 의지하는 데 방해가 될 뿐만 아니라 일어서는 시간도 더디게 될 것이다.

우리는 얼마나 하느님이 아닌 다른 지팡이에 의지하려 하는가. 사실 우리를 사랑해 주고 이해해 주는 이들이 우리 옆에 있었으면 하는 바람은 인지상정이다. 아프거나 고독하거나 절망스러울 때 우리를 깊이 이해해 주는 누군가가 옆에 있다면 큰 위로와 힘이 될 것이다. 그러나 문제는 인간적인 위로와 힘에 지나치게 매달린다는 것이다. 칠흑같이 어두운 밤, 온 정신을 집중해서 주님의 지팡이 소리를 들으려 해도 들릴까말까인데 다른 지팡이 소리에 정신을 팔다 보면 더 깊은 고통의 나락으로 떨어지게 된다. 나는 정말 괴로운 일이 있으면 성체 앞에 나아가서 여러 시간 머물러 있는다. 성체 앞에 나아갈 때 다음과 같은 상상을 해 아무리 마음이 괴로워도 시간이 지나기 전에는 절대로 일어나지 않겠다는 결심을 한다. 즉 나의 두 무릎이 가죽끈으로 묶여 있어서 정한 시간이 지나기 전에는 풀리지 않는다고 상상하는 것이다. 이렇게 결심하여도 처음 얼마간은 답답하고 미칠 것 같아 성당 밖으로 나가려 하거나, 반짝이는 기발한 방법이 떠올라서 빨리 그것을 실행하러 나가고 싶어한다. 하지만 스스로의 결심에 충실하면서 몇 시간 요지부동하다 보면 감실 안에 계신 예수께서 하시는 말씀이 들리기 시작하면서 마음은 안정을 되찾고 나아갈 길을 찾게 된다.

우리가 정말로 필요로 하는 그 자리, 그 누군가가 위로해 주기를 바라는 그 자리에 주님이 항시 와 계신다. 주께서는 "세상 끝날까지 우리와 함께하겠다."는 약속을 지키기 위해서 우리가 아파하는 자리에 와 계신다. 구세주께서 언제나 우리를 돌보신다. 주님은 결코 우리를 버리지 않으신다. 이 점을 굳게 믿어야 한다. 시편 저자는 주님께서 우리를 "당신의 날개로 덮어주시고 그 깃 아래 숨겨주시리라."(시편 91,4)고 말한다. 어미닭은 독수리가 병아리를 채어 가려고 선회하는 것을 보면 얼른 병아리들을 불러모아 날개로 덮어 숨겨준다. 마찬가지로 주님도 위기에 놓인 우리를 당신 날개로 덮어 숨겨주신다. 겁에 질려 떨고 있는 우리가 평안을 되찾을 때까지 위로하며 당신 품에서 보호해 주신다. 특히 두려움에 떠는 이들, 지친 이들, 상심한 이들, 외로운 이들, 실망하는 이들, 고통받는 이들, 실직한 이들을.

어둔 밤에 주님께서 지팡이 소리로 당신 현존을 알려준다는 것이 어떤 것인지 포콜라레 회원인 안나 마리아 잔주끼의 생활나눔을 들어보자. 어느날 그녀의 남편이 종합진단을 받았다. 의사는 심각한 표정으로 중병일지도 모르니 다시 정밀검사를 받아야 한다고 하였다. 안나는 큰 충격을 받았다. 하지만 그녀는, 모든 것은 하느님 사랑으로 귀결되고 하느님이 원하시는 대로 살아갈 때 가장 좋은 결과가 이루어진다는 믿음을 갖고 마음의 평안을 찾으려고 노력하였다. 음산한 죽음의 골짜기에서 하느님 지팡이 소리를 들으려 애쓴 것이다. 하지만 밤이 되면 불안과 공포와 절망으로 잠을 이룰 수가 없었다. 사랑하는 남편이 죽는다는 것을 생각하면 가슴이 찢어지는 것만 같았다. 고통스럽고 어두운 느낌들이 극치에 달한 순간, 잔주끼는 잠자리를 박차고 일어나 무릎을 꿇었다. 그리고 용기를 내어 하느님께 모든 것을 맡기고 하느님의 뜻으로 받아들이겠다는 기도를 하였다. 그러자 생각지도 못한 평화가 마음 가득히 밀려들어왔다. 그리고 그녀는 마침내 '하느님 사랑은 모든 절망과 고통을 능가한다.'는 확신을 갖게 되었다. 하느님은 아빠, 아버지이시기에 필요하다면 남편을 다시 살려줄 것이요, 만약 하느님 뜻이 다른 데 있어서 이별의 순간이 온다 하더라도 하느님은 그녀와 남편 사이에 변함없는 일치를 허락해 줄 것

이라는 확신을 갖게 되었다.[32]

인간의 지팡이가 아닌 하느님 지팡이에만 의지하면서 어두운 골짜기를 거친 사람은 말로 표현키 어려운 주님과의 합일을 맛볼 것이요, 고통을 통해서 내적인 인간, 성숙한 인간, 자비로운 인간이 되어갈 것이다.

> (그 사람은) 비온 뒤에 숲속에 들어선 것처럼 생의 모든 것이 신선하게 다가서 옴을 느끼게 될 것이요, 어두운 골짜기를 거쳐온 덕분에 자신이 땅의 인간임을 잊지 않고 타인을 자비롭게 대할 것이다. …신앙이란 철저히 수동적인 것임을 깨달을 것이요, 인간의 의지가 영점(零點, zero point)이 되는 시점에서야 비로소 주님의 생명력이 피어 오르는 것을 체험할 것이다. 그리고 그것이 바로 신앙의 신비임을 깨달을

32. 안나 마리아 잔주끼, 「하루 또 하루」(서울 : 서광사, 1983), 48-49.

것이다. 이웃에 대한 바람도 또 그 동안 자기가 드려온 인간적 기도도 다 놓아버리면서 오로지 주님의 자비에만 희망을 두는 인간이 될 것이다. 그는 모든 인간의 의지가 사라져 버리는 바로 그때에 주님의 은혜로써 눈부신 비상(飛翔)을 하게 되리라는 희망을 갖고 있다.[33]

---

33. 이 글은 분도회 서 마오로 수녀가 필자를 깨우쳐 준 가르침의 부분이다.

맺음말

지금까지 우리는 시편 23을 가지고 '신앙으로 살아가는 인간'에 대해 묵상했다. 이제 이 글을 마무리하면서 두 가지 실제적인 지침과 한 신앙인의 고백을 제시한다.

첫째, 시편 23은 매일매일 언제든지 읊을 수 있고 노래할 수 있는 하나님의 말씀이다. 우리는 기도서가 없어도 언제든지 마음을 들어올려 하나님께 기도할 수 있는 말씀 하나를 지니고 있어야 한다. 특별히 긴장하거나 흥분 상태에 있을 때, 성령의 인도를 따르기 위해서 즉시 반성해 볼 수 있는 하나님 말씀을 갖고 있어야 한다. 시편 23은 누구나 쉽게 기억할 수 있는 가장 좋은 말씀이다. 우리 귀에 익숙해서 외울 수 있을 뿐 아니라 그 내용이 우리 일상적 삶을 실제적으로 반영하기 때문이다. 앞서 언급한 대로 시편 23은 모든 것이 편하고 잘 되어 나갈 때 외우는 시가 아니다. 그것은 광야 삶이 담고 있는 생의 위협과 고통을 전제로 쓴 지극히 현실적인 시이다. 그러므로 우리는 삶이 힘겨울 때 이 시를 애송하면서 용기를 내고 평정을 되찾아야 한다. 브라질에서 성직자로서 일하다 감옥에 갇히게 된 모리스(Fred Morris)는 감옥에 있는 동안 쉬임없이 이 시편을 외우면서 공포를 극복할 수 있었다고 한다.[34]

둘째, 우리는 시편 23을 눈떠서부터 잠들기까지 하루 종일 삶에다 적용할 수 있다.

아침에 잠자리에서 일어나 1절(야훼는 나

34. 모리스와 시편 23의 관계는 헨리 나웬, 「생활한 상기자로서의 사목자」(왜관 : 분도출판사, 1985), 89에서 참조함.

의 목자, 아쉬울 것 없노라.)을 묵상해 보면 착한 목자이신 주님께서 오늘 하루의 삶도 풍성히 해줄 것이란 기대에서 절로 감사함이 든다. 아침식사를 하기 위해서 온 가족이 둘러앉아 있을 때 2절(푸른 풀밭에 누워 놀게 하시고, 물가로 이끌어 쉬게 하시니)을 묵상하면 우리의 배고픔을 해결해 주시고 목마름을 해결해 주시는 주님의 은혜가 더 깊이 느껴질 것이다. 일터로 나가기 전에 3절(지쳤던 이 몸에 생기가 넘친다. 그 이름 목자이시니, 인도하시는 길, 언제나 바른 길이요)을 묵상하면 주님께서는 나에게 새로운 힘을 주시고, 하느님 영광을 위하여 바른 길로 인도해 주실 것이란 확신이 든다. 일터에 도착해서 4절(나 비록 어두운 골짜기를 지날지라도, 내 곁에 주님 계시오니 무서울 것 없어라. 막대기와 지팡이로 인도하시니 걱정할 것 없어라.)을 묵상하면 비록 세상 한복판에 있지만 주님께서 함께 계시고 지팡이와 막대기로 이끌어 주시니 마음이 든든하다. 하루 일과를 끝내면서 5절 앞부분(원수들 보라는 듯 상을 차려주시고)을 묵상하면 하루 중에 마음 상했던 모든 일들을 주님께서 해결해 주시고 갚아주실 것이기에 마음이 풀린다. 집에 돌아와서 가족들과 함께하면서 저녁식사를 할 때에는 5절 뒷부분 고백, "기름부어 내 머리에 발라주시니 내 잔이 넘치옵니다." 하는 고백이 저절로 나온다. 잠자리에 들기 전 6절(한평생 은총과 복에 겨워 사는 이 몸, 영원히 주님 집에 거하리이다.)을 묵상하면 오늘도 나와 함께하시면서 베풀어 주신 주님의 선하심과 인자하심으로 인해서 야훼의 집에서 살아감을 느끼며 주님 품안에서 평안히 잠을 청하게 된다.[35]

한평생 신앙으로 살아온 조지 뮬러는 주님 사랑으로 고아들을 돌보았던 분이시다. 그는

35. 박상훈, 「하나님, 왜 이러세요?」(서울 : 크리폼, 1994), 62.

고아원을 운영하면서 단 한 번도 돈 걱정, 식량 걱정을 해본 적이 없었다. 쌀이 떨어질 만하면 주님 앞에 나아가 그 사정을 아뢰면 그 누군가가 쌀을 갖다 주거나 돈을 갖다 주는 체험을 하였다. 그에게 신앙이란 감히 바랄 수 없는 것을 바라게 하는 영혼의 배짱이었다. 그가 70년 인생을 돌아보면서 한 신앙 고백을 들어보자.

우리의 연약함은 주님의 능력이 나타나는 자리입니다. 그분은 절대로 우리를 떠나지 않습니다. 우리의 연약함이 크면 클수록 그분은 당신의 힘을 나타내고자 더 가까이 오십니다. 우리의 궁핍이 크면 클수록 그분은 우리에게 더 큰 힘을 주십니다. 이는 70년을 살아온 저의 신앙고백입니다. 시험이 크면 클수록, 난관이 크면 클수록 주님의 도움은 더욱 가까이서 나타납니다. 때로 나는 완전히 어쩔 수 없다는, 막다른 골목에 든 것처럼 절망하기도

했습니다. 그러나 그렇게 되지 않았고 앞으로도 그렇게 되지 않을 것입니다. 더 많은 기도, 더 많은 믿음, 더 많은 인내와 실천이 그분의 축복을 가져다 줄 것입니다. 그러니 우리가 할 일은 우리의 마음을 그분 앞에 쏟아붓는 일입니다. 그러면 주님께서는 당신이 원하는 시간에, 당신이 원하는 방법으로 우리를 도울 것입니다.

2
인간의 길

어찌 내 유일한 인생을[1]

아침이면 피었다가
한낮이면 사라지는 나팔꽃도
한껏 피었다 지거늘
어찌 내 유일한 인생을
꽃피우지 않으랴![2]

우리 유일한 인생을 활짝 꽃피우며 살아갈

---

1. 이 글을 쓰는 데 결정적인 도움과 통찰을 주신 분은 로마 그레고리안 대학교 영성신학과 교수인 부르나 코스타쿠르타(Burna Costacurta)이다. 이분의 시편 1편 강의가 본고의 기초가 되었음을 밝힌다.
2. 이 인상적인 말은 야마오카 소하찌, 「대망(大望)」(서울 : 중앙미디어, 1992)에 나오는 한 구절이다.

수 있는 길과 영성이 있다면 어떠한 노력을 들여서라도 획득해야 하리라. 금세기 뛰어난 영성가의 한 분으로 토머스 머턴 신부가 있다. 그는 가장 엄격한 봉쇄 수도회인 트라피스트회 회원으로 평생을 살다 가신 분이다. 절대적 침묵과 고독 안에서 구도생활을 한 머턴 신부가 가르치는 영성은 놀랍기 그지없다. 그에 의하면 영성은 세상과 격리된 봉쇄 수도원이나 고요한 피정 집에서 발견되는 것이 아니라 우리가 살아가는 시정(市井) 한복판, 구체적 삶의 자리에서 발견된다는 것이다. '지금 이 자리'에서 하느님을 찾고, 이 자리에서 고통과 기쁨을 겪으며 살아가면서 영성생활을 해 나가는 것이다. 그는 이렇게 말한다.

> 누구든지 하느님을 찾고자 한다면 자기 자신 안으로 깊이 들어가 참 자신(true self)을 만나고, 세상 안으로 깊이 들어가서 세상 일들, 곧 우정을 맺고 정의롭게 살고

비신자 사이에서 하느님을 찬미하고 복음을 전하면서 살아가야 한다.

머턴 신부에게 참 자신과의 만남은 곧 하느님과의 만남이다. 우리가 참된 자아를 만나게 될 때 하느님과 다른 사람들 그리고 세상의 모든 사물과 올바른 관계를 맺으며 깊은 일치를 이룰 수 있는 것이다.

'지금 이 자리'에서 하느님을 찾고, 자기 자신이 되어 살아가는 것은 곧 '지금 이 순간의 성스러움'을 살아가는 것이다. 이름하여 일상도(日常道)를 살아가는 것이다. 우리가 섬기는 하느님이 일상도의 하느님이라면 이러한 하느님을 섬기면서 살아가는 그리스도인들의 영성은 당연히 일상도의 영성일 것이다. 하느님이 일상도의 하느님이란 점은 그분의 이름에서 분명히 드러난다. 야훼(יהוה)라는 이름은 '나는 있는 자로서이다.'이다. '나는 있는 자로서이다.'이신 하느님은 어제와 내일은 모르시는 분이다. 오늘만을 아시고, 지금 이 순간만을 아시는 분이다.[3] 그래서 예수께서는 우리에게 주님의 기도에서 "오늘 저희에게 일용할 양식을 주시고"라고 기도하라고 하신다. 일상도의 하느님께 어떻게 "내일 우리에게 일용할 양식을 주시고"라고 기도할 수 있겠는가. 이렇게 일상도의 하느님을 지금 이 자리에서 체험하면서 '지금 이 순간의 성스러움'을 살아가는 것이 인간의 길이요, 영성의 길이다.

일상도를 살아가는 인간의 길을 좀더 깊이 알기 위해서 시편 1편을 묵상해 보자. 이 시편은 지금 이 순간의 성스러움을 살아가는 삶이 바로 인간의 길, 인간이 걸어야 할 길임을 명확히 보여준다.

복되어라, 사람이여.

과 일상도 영성에 대한 더 자세한 내용
에 선 인간」(서울 : 바오로딸, 1998),
.

악인의 조언을 걷지 아니하고
죄인의 길에 머물지 아니하고
교만한 이들의 모임에 앉지 않는
사람이여!
야훼의 법을 낙으로 삼아
밤낮으로 그 법을 되새기는 사람.
그는 냇가에 뿌리를 내린 나무 같아서
잎사귀 시들지 아니하고
철 따라 열매를 맺으리.
그가 무엇을 하든 잘되리라.
악인은 그렇지 아니하니
바람에 까불리는 겨와도 같아
야훼께서 심판하실 때에 다리를
세우지 못하고
죄인이라 의인들 모임에 끼지도 못하리라.
하느님이 의인의 길은 보살피나
악인의 길은 멸망에 이른다.[4]

---

4. 이 시편은 필자의 자역임을 밝힌다.

시편 1편을 열고 닫는 단어는 '길'이다. "죄인의 길에 머물지 않으며"가 처음에 나오고, "하느님이 의인의 길은 보살피나 악인의 길은 멸망에 이른다."로 끝을 맺는다.

길은 생명체에게 무슨 의미가 있을까? 동물의 왕이라 불리는 호랑이는 숲의 주인이지만 아무 길이나 다니지 아니하고 꼭 자기가 다니는 길로만 다닌다고 한다. 또 밤하늘에 빛나는 수많은 별들도 언뜻 보기에는 한 곳에 붙박혀 있는 것처럼 보이지만 궤도에 따라 끊임없이 움직이고 있다.

그렇다면 우리 인간은 어떠한가? 각 종교는 불교이든 유교이든 그리스도교이든, 그 종교를 믿는 신자들이 걸어가야 할 길을 분명히 제시한다. 불교 신자들은 팔정도(八正道), 곧 여덟 개의 바른 길을 걷도록 초대된다. 팔정도란 바른 말·바른 행위·바른 직업(이상 계〔戒〕)·바른 묵상·바른 관상·바른 정진(이상 정〔定〕)·바른 시각·바른 생각(이상 혜〔慧〕)이다. 유가에서는 중용(中庸)의

PSALM 23

I The LORD is my shepherd
there is nothing I lack.
In green pastures you let me graz
to safe waters you lead me;
you restore my strength.
You guide me along the right path
for the sake of your name.
Even when I walk through a dark
I fear no harm for you are at m
your rod and staff give me com

II You set a table before me
as my enemies watch:
You anoint my head with oil
my cup overflows.
Only goodness and love will pu
all the days of my life:
I will dwell in the house of
for years to come.

alley,
side;
ge.

e me

he Lord